JEAN COCTEAU

*T*HOMAS
L'*I*MPOSTEUR

Edited by

Bernard Garniez

THE MACMILLAN COMPANY, NEW YORK

*F*OREWORD

Thomas l'Imposteur, the second of Cocteau's three
novels, has never been as well-known in the United States as
his third, *Les Enfants terribles (The Children of the Game).*
Yet it has indubitable charm, a subtle freshness and spontane-
ity lacking in the adventure of the four adolescent "children
of the game," imprisoned within the confines of a closed
room. Thomas, like all the heroes of Cocteau's novels is an
adolescent, but an adolescent with no psychological com-
plexities. Cocteau gave himself the freedom to create in
Thomas an innocent, picaresque, adolescent hero. Thomas
is not alone of his kind in the French literature of the
twenties. Adolescence was one of the major themes of the day.

Just before World War I, the hero of Alain-Fournier's
Le Grand Meaulnes (1913), Augustin, an adolescent dreamer
and wanderer in the lands of dream, had fired the imagination of a generation of readers, as had also Lafcadio, a hand-
some, robust and rather disturbing character in *Les Caves
du Vatican* (1914). *Du côté de chez Swann* (1913), too, the
first volume of Proust's vast novel, depicted the development
of a boy from childhood to adolescence. To be sure, there
had been novels of adolescence before. But, to the postwar
generation, they seemed singularly antiquated. During the
four years of war, adolescents had seen their fathers in the
trenches and felt themselves destined to the same fate. They

had enjoyed a new prestige, a new freedom, and something of the detachment so characteristic of Thomas—and also of Holden Caulfield in *Catcher in the Rye,* though Cocteau's hero is more subtle, more poetic, more aristocratic than Salinger's. The Dadaist revolt against the impotent common sense of the adult world that had condoned the general massacre of trench warfare, the Surrealist fascination with the lost Edens of childhood, favored the emergence of the adolescent as hero. But Cocteau's Thomas is an adolescent of a most endearing kind, and the game he plays with death is more deeply suggestive of certain moods of adolescence, and more moving than the rather sinister games indulged in by the adolescents in Gide's *Counterfeiters.* Cocteau's Thomas is as endearing and entertaining now as he was when he appeared almost half a century ago, and that is hardly true of the countless other adolescents of the twenties.

The story, by the very way it is told, should intrigue students. Mr. Garniez's careful and penetrating introduction and discreet notes, without interfering with the play of the reader's imagination, his joy in anticipation, give needed terms of reference, clarify allusions, situate events and places. The introduction also furnishes the necessary initial insights into the mood of the book, the interplay of meaning and style, orientating the student yet leaving him the pleasure of discovering the events that unfold and the particular flavor of the book.

It is a stimulating book, a change, welcome perhaps, from the rather sombre "committed" literature of recent years; and a book raising questions of another kind from a fresh point of view. Intermediate classes, conversation classes, classes in contemporary literature and civilization should find it a welcome addition to their reading.

G. B.

CONTENTS

INTRODUCTION

Thomas l'Imposteur was published in 1923, five years after the signing of the Armistice which ended World War I. The topic of war was still highly charged with emotion, and critics were not a little shocked—even scandalized—by the detachment with which Jean Cocteau dealt with it in his novel.

To be sure, there are passages in the book in which we sense that Cocteau had been deeply moved by the misery of the front-line soldiers; but even in these passages there is not the slightest trace of sentimentality. In *Thomas l'Imposteur,* war functions merely as the extraordinary setting for an extraordinary adventure. It is a kind of backdrop evoking the conflict in unexpected terms. Cocteau had carefully selected from the variegated aspects of war only those tones and colors which harmonized with the story he wanted to tell, a story lyrical in its fantasy and yet rooted in his own most personal preoccupations.

This highly personal novel naturally provoked indignation among those who misread it as a war document; it also took the literary circles of Paris by surprise. As model for his book, Cocteau had chosen Stendhal's *The Charterhouse of Parma* (1839) and had deliberately submitted to the influence of Stendhal's terse and rapid-fire style. He had thus turned his back on the "avant-garde" of which, until then, he had been one of the most brilliant promoters.

This turnabout was only one of the many that have characterized Cocteau's work. He has been writing now for a good half century and his career has involved many such abrupt changes of direction. Repeatedly he has resisted prolonged involvement with literary movements of whatever kind.

*   *   *

Jean Cocteau was born at Maisons-Laffitte (near Versailles) on July 5, 1889, into a rich and sophisticated family of the haute bourgeoisie. His childhood was spent in a fashionable section of Paris where he lived with his mother, widowed in 1899, and with his grandparents. His somewhat pampered childhood left behind it the most vivid impressions: he especially recalls his first discovery of the world of circus and theater. The circus furnished him the idea for several of the figures which people his own personal mythology, tightrope walkers and trapeze artists, for example. As for the theater, it appeared to his childish imagination as a place where mysterious rites were performed, and he was never to lose this sense of the association between theater and magic.

In the socially distinguished and urbane circle which was his, Cocteau's precocious talents naturally flourished; he soon came to be regarded as an adolescent of genius. His scintillating conversation delighted the socialites of Paris and the celebrities of the art world which he also frequented. His first poems—as artificial as the turn-of-the-century society of which he was a product—were hailed by the Paris elite. By the time he was eighteen, he had made a brilliant entrance into the world of letters.

But he was soon jolted out of his complacency: the chorus of praises bestowed on the young poet was broken by a jarring note when André Gide and Henri Ghéon published a far less enthusiastic article about the poems in the *Nouvelle Revue Française* (1912), which was fast becoming the most authoritative of the young literary reviews. Characteristically, Cocteau thanked the two older writers for their candor. A second and more indirect jolt came in 1913. Cocteau had attended the première of the *Rite of Spring*, a ballet staged by Diaghiliev with music by Igor Stravinsky, both men being among Cocteau's intimate friends. The violent riot that the performance inspired made him aware that innovation in art and public approval do not necessarily coincide. It seemed to him, rather, that the public would accept nothing that differed too greatly from its habitual fare. Beneath the surface of this brilliant young dilettante, Diaghiliev discerned the makings of a true poet. He urged the young artist to reveal his true self: "Etonne-moi," he said.

Responding to these admonitions, Cocteau no longer frequented the salons in which he had been squandering his talents so lavishly. A collection of poems, drawings, and prose dialogues, *Le Potomak* (written in 1913, published in 1919), emerged from the ensuing period of introspection. Suffused with anxiety and peopled with disturbing creatures, the work contained monstrous prefigurations of mythical beings which were later to haunt him.

When war broke out in 1914 Cocteau was 25 years old. Though not drafted, he insisted on taking part in the war. He began by joining a civilian first-aid service, then ordered for himself a custom-made uniform, and in 1915 managed to get himself adopted by a company of marines at Nieuport on the Belgian front. When the authorities discovered his illegal presence he was returned to Paris, only to learn that the whole company had been wiped out by the enemy the day after his departure.

Back in Paris, he found in progress the artistic revolution which, starting with prewar cubism and futurism, was now finding its outlet in dadaism, then in surrealism. Painters, poets, musicians, playwrights banded together in warm camaraderie and boisterous enthusiasm to seek out the new means of expression that, they felt, must replace old bourgeois art forms which the outbreak of war had definitely made obsolete.

Shortly after his return from the front, Cocteau became one of the avant-garde artists who proclaimed the existence of an "esprit nouveau" in art. Others in this group were Braque, Modigliani, Apollinaire, Satie, and Pablo Picasso, whose genius Cocteau was one of the first to discover. He had no difficulty in finding a place for himself among these artists, and espoused their cause so whole-heartedly that with Picasso, Diaghiliev, and the composer Erik Satie, he organized a "realist" ballet. This ballet, *Parade,* was realist in the free, unstereotyped sense in which the artists of the "esprit nouveau," understood reality. On May 18, 1917, the première of *Parade* provoked an outraged audience to a riot of protest.

From that time on Cocteau was a center of attention for the younger generation of intellectuals and artists, attracted by his brilliant verve and sense of the modern. One of his favorite haunts was the famous bar Gaya, where he played the piano in American-style jazz sessions—a recent import which was then all the rage in Paris.

In 1921 he once again challenged the public, offering this time a *spectacle* called *Les Mariés de la Tour Eiffel.* The action takes place on the first platform of the Eiffel Tower where a bourgeois wedding party babbles routine small talk in front of the traditional wedding photographer. But the babbling, rather than emanating from the characters, is produced, along with commentary, by phonographs at either side of the stage. All resemblance to traditional theater vanishes when various wild animals emerge from the camera.

Les Mariés was Cocteau's farewell to the effervescent spirit of the immediate postwar years. He was persuaded that his *spectacle* had fulfilled its function. The blows Cocteau and his friends had repeatedly aimed at bourgeois taste had succeeded at least to the point where, intimidated, the public hardly dared suggest that perhaps the avant-garde was on the wrong track. A new avant-garde conformism was by then taking shape; Cocteau would have nothing further to do with it.

Another influence, too, had come into play: a few years earlier Cocteau met Raymond Radiguet, a prodigious young writer of startling individuality. Radiguet had remained insensitive to the noisy manifestations of the period. He calmly asserted that clarity was to be preferred to obscurity, that it was necessary to delve once more into the spirit of classicism in order to discover the disciplined order that alone could save contemporary French literature from the facile anarchy to which it had succumbed—a most unexpected attitude in a very young man, at a time when Dadaists and Surrealists alike were bent on disrupting to the maximum all forms of order, social, political, or literary.

In his autobiographical *La Difficulté d'Etre* (1947), Cocteau recalls that Radiguet "advised us to write like every-body else (*comme tout le monde*), because it is precisely in trying to do this impossible thing that originality finds its expression." In Radiguet he found the confirmation of his own bent toward classicism.

In 1923, the year *Thomas l'Imposteur* was published, Radiguet died at the age of 19. Cocteau was deeply distressed and his work came to a standstill. Painfully he sought to recover his equilibrium: he resorted to opium as a relief, only to suffer greatly later on when he recognized the necessity of breaking his addiction; he even attempted, though in vain, to turn to Catholicism. He and the Thomist philosopher Jacques Maritain engaged in a written dialogue, elevated in tone and subtle in thought, now regarded as a literary work of no mean value.

It was shortly before the death of Radiguet that Cocteau began to write *Thomas l'Imposteur,* using his own memories of the war years for the setting of his tale. While serving with the marines, Cocteau had undoubtedly discovered the deep bonds that are forged between men who live together in the constant presence of death. But he was able to see even beyond this moving aspect of war and to recall—as had another poet, Guillaume Apollinaire—vivid, fairy-tale-like images not usually associated with the adventure of war. These images permeate *Thomas l'Imposteur,* which, despite certain similarities between Thomas the hero and Cocteau himself, is not an autobiography, but an *"histoire."*

*   *   *

From the very beginning Cocteau sets the tone, which is to predominate all through this *féerie pour grandes personnes* (fairy tale for adults). "La guerre commença dans le plus grand désordre. Ce désordre ne cessa point d'un bout à l'autre." And so he removes from war all its habitual connotations, substituting a single characteristic; he will deal with war from his own point of view, and restrict as he pleases the aspects of reality he chooses to make use of. Cocteau disentangles the motif of war from the somber, emotional tonality still prevalent in 1923 and uses it in a new key: the dissonant, harsh key of detached irony.

But because he uses the war as a framework for his story

and refers throughout to historical events, his tale has a certain air of verisimilitude: we know immediately that what we are going to read is not the mere piecing together of bits of fantasy; it is an account of events that take place in a recognizable context. When the scene of action shifts to the Belgian front the horror of trench warfare is everywhere implicit, even though isolated situations may seem humorous.

Cocteau next recalls the departure of the government from Paris to Bordeaux in the south of France, an event that actually did occur, and proceeds to give a somewhat fanciful explanation of the Battle of the Marne victory in 1914. It was due, he suggests, to just that kind of superiority which naughty children have over the bookworms and which always shows up at school whenever initiative is required. Cocteau's war is already being reduced to the dimensions of his own fictional system of reference and to the unexpected terms the system establishes: an entire army is embodied in the word *polisson,* naughty child. What was a grim reality begins to appear innocuous, indeed comical.

In the first half of the novel the war is really Cocteau's means for bringing together a fantastic collection of poetic characters. The extravagant adventures in which they become involved are conceivable only because they take place at a time when, as he puts it later on in the book: "Everything was so upset that people were ready to believe anything."

"Le Dr. Verne était spirite" (a believer in spirits, table-turning, etc.). With this simple statement the first character is thrust, puppetlike, onto the stage, where we can observe him absorbed in his favorite and incongruous pastime; hypnotizing the hospital personnel. As if the stage had suddenly been darkened and a spotlight thrown on him, Dr. Verne becomes the unique center of attention; the background of war and confusion is momentarily forgotten.

When the leading lady turns out to be a princess we are not in the least surprised. To remove her deftly from the cold world of categories and to secure her place in the ranks of poetic heroines, Cocteau writes: "Veuve, fort jeune, du prince mort d'un accident de chasse, la princesse de Bormes était Polonaise." By his rhythmic listing of details (widow, at an early age, of a prince, dead in a hunting accident), Cocteau, in the classical spirit of storytelling, creates a kind of tension within the sentence itself. We fully expect that the end of the sentence will be, not completely logical perhaps, at least in harmony with the rest of the sentence. The irrelevant "conclusion" (the princess was Polish) so amuses us that we are ready to yield happily to the whims of the storyteller. Sentences so disarmingly fashioned serve Cocteau well in one of his main purposes: the juxtaposing of historical narrative and fantasy, of the poetic and the ridiculous.

When the unusual activities in the hospital courtyard finally draw Guillaume Thomas onto the scene, we are well prepared for the improbable sequence of events which starts with his very first encounter with the princess.

Guillaume Thomas is an adolescent of 16 who dreams of a heroic destiny. Fortunately for him, the confusion resulting from the outbreak of war in Paris creates a most favorable climate for the realization of his dreams. Wearing a borrowed uniform and assuming a name furnished him by chance, Guillaume Thomas masquerades as the nonexistent Guillaume de Fontenoy, "nephew" of the famous General de Fontenoy. He plays his role effortlessly. He is not an actor who is out to make a certain effect, nor an ambitious young man who calculates each gesture and each word. He is, rather, someone for whom the distinction between role and real life is so tenuous as hardly to exist at all. Thomas "lives" the part with all the candor of a child who, in playing, pretends to be something which he is not, whether coachman or horse ("se croit ce qu'il n'est pas, cocher ou cheval").

Cocteau endowed his hero with an unfailing charm. Thomas inspires immediate and absolute confidence; his face is frankness itself, and his voice never carries a trace of falsehood. His is the inexplicable gift granted in fairy tales to certain chosen beings, which empowers them to travel unharmed and without obstacle along the road leading to their destiny—in Thomas' case, the bloodstained trenches of the Belgian front.

As we read the novel we tend to succumb to the charm of its hero rather than identify with him, in part because of the rapid tempo of the story. The pace is so headlong that it leaves little time for the characters to engage in conversation among themselves. Thomas, the princess, Dr. Verne and the rest seem to move along mechanically, the dialogue meanwhile, as in certain movies, being impersonally declaimed by a narrator. The only talkative person in the story is Madame Valiche, the "ugly, vulgar, rapacious" opposite of the princess de Bormes; clearly in her case her character is far better revealed through colorful language and biting tone of voice than through anything which Cocteau might have invented to describe her.

Cocteau does not encourage us to become involved in the story in any traditional way; he avoids lengthy descriptive passages and at no time does he psychologize. He tells what happens and what was said, and little more. Even in crucial scenes, he leaves it to the reader to infer, solely on the basis of a few well-chosen clues, what is going on in the minds of the characters. When, for example, Guillaume Thomas' aunt comes to see Dr. Verne, thus unwittingly exposing Thomas' imposture, Cocteau tells us merely that after the aunt had been sitting in Verne's office for a quarter of an hour "the doctor realized that the real catastrophe lay in that Guillaume Thomas was plain Thomas and that he was just a boy of 16."

The underlying complexity of the given situation is made unmistakably clear. But rather than resort to analyses, Cocteau, when he wants to alert his reader, alters his sentence structure, introducing an obscure reference or a contradictory image, as when he wants to make us sense the importance, the disorganization, and the humor of the entire ambulance unit all in one sentence:

"Enfin, comme au fameux 'Lâchez tout' du colonel Renard, assis au coin du feu, près de sa femme en train de tricoter, dans son dirigeable modèle qui ne voulut jamais partir, s'éleva de dix centimètres et retomba brutalement, le convoi ne partit pas le jour convenu."

The ludicrous evocation of Colonel Renard's historic experiments with his barely movable dirigible, the irrelevant introduction of the colonel's wife knitting by the fire, serve to put off to the end the real point of the sentence (the convoy never got off on the scheduled day), and Cocteau manages to communicate with great economy of means a whole scale of nuances which go to the core of the situation with comical effect.

By a deft use of quick changes in tone and mood, Cocteau manages to keep his characters balanced along the narrow tightrope that separates the comic from the poetic. He often combines the two skillfully within a single sentence: "L'amour faisait d'Henriette un Stradivarius. . . ." Or when discussing a bishop: "Beau et gonflé, il était un fabuleux fuchsia." In a different tone: "On Sundays to the sound of machine guns vocalizing in the sky on a monotonous tone, the laugh of a death's head, and to the sound of airplane motors singing, their murmur deepening suddenly in tone from pale blue to black velvet, the officers of the Royal Navy played tennis."

Sometimes the comic aspects predominate, sometimes the poetic. At no time, however, does the author alter his tone of voice in order to anticipate one or the other; and the events crowd in upon each other so quickly that, even when they warrant an upsurge of emotion, Cocteau does not give us the time to indulge in it.

The terse style of *Thomas l'Imposteur,* reminiscent as it is of the style of Stendhal, is also closely akin to what Cocteau has often called the discipline *par excellence* of the poet who, like the tightrope walker, is always at the mercy of one false step, that is, of an error in taste, in judgment. This kind of writing depends largely for its effect on the richness of the author's vocabulary—rich not merely in terms of the number of words Cocteau uses, but also of the variety of images he evokes by skillful combinations of words.

The "play" of style gives us a sense of gratuity, the feeling that we are watching a game, and accounts for the book's charm. Cocteau has discreetly invited us to participate in the game when he gave *Thomas l'Imposteur* the subtitle *Histoire.*

But we cannot for a moment doubt the seriousness with which Cocteau considers his hero. In the eyes of those whom Thomas deceives about his identity he is, indeed, an impostor. Impostor in terms of the outside world is a lie. However, Thomas is only engaged in *living* his dream, and in that sense his behavior cannot be considered hypocritical. He does not intentionally conceal his inner reality from the people with whom he associates. He could not do so for he himself is *unaware* that it does not correspond to the reality perceived by others.

Guillaume Thomas lives simultaneously in the world of outer reality and in the world of an inner truth which he alone perceives and which, for lack of a better name, we can call dream or fiction or, as Cocteau does, imposture. Cocteau informs us that after Thomas has been shot down the name inscribed upon his grave is Guillaume Thomas de Fontenoy, his dream name. And so the difference between the two names—Guillaume Thomas and Guillaume Thomas de Fontenoy—is not merely that one is the name of a commoner, the other the name of an aristocrat: one is the name of a dreamer; the other, Thomas' rightful name, is that of a young man in whom fiction and reality have become one. In short, within the framework of Cocteau's mythology, Thomas is an incarnation of the poet.

After *Thomas l'Imposteur* Cocteau returned constantly to the figure of the poet who reappears, embodied in the main characters of all his novels, plays, and films. In many instances the poet appears in the guise of an adolescent struggling against the realities of the adult world, which intrude upon his child world of pure faith and vivid dream. But Thomas differs from all Cocteau's other adolescent heroes, and the novel, with its typically Cocteau-ian title, is unique in its mood of somewhat impertinent detachment, its almost playful tone, and the attitude of gently ironical sympathy that the author adopts toward his characters. It is the only one of Cocteau's works whose underlying gravity is so subtly expressed that it allows him to play slyly both with the story itself and with the elegant style in which he chose to tell it.

Whether through the medium of the camera (*Le Sang d'un poète,* 1932), the stage (*Orphée,* 1926; *La Machine infernale,* 1936), or the printed word (*L'Ange Heurtebise,* 1926), Cocteau took upon himself as poet a function he deemed necessary—the function at once "difficult and dangerous" of unveiling the mystery of the world and its beauty, of penetrating the real to discover the radiance which unites it to the more than real, and finally, of exposing to the full light of day the night which every man conceals within himself. Cocteau has classified his own works as poetry, poetry of the novel, critical poetry, poetry of the theater, poetry of the film.

Cocteau's career reached a sort of culmination in 1955

with his election to the Académie Française. His presence among the French Immortals caused as much surprise as had the appearance of each new product of his creative talents, from the première of *Parade* in 1917 to that of *Bacchus* in 1951.

Naturally, a figure so conspicuous for so many years could hardly escape criticism. The very fact that he resorted to such varied media and to such unconventional means in his attempt to portray the poet's dilemma made him particularly vulnerable. The critics who suspect Cocteau's stated aims are quick to point out the personal nature of his mythology, the traces of preciosity in his imagery, his indulgence in occasional display of virtuosity. On the basis of these observations some of them suggest that Cocteau is nothing more than a simple "conjuror of tricks."

They are right perhaps to a certain point. Perhaps Cocteau attempted too much. At times he seems to have been so diverted by the esthetic means at his disposal that his purpose was temporarily obscured. Yet he treats the single theme which preoccupies him, and which has found its expression under so many guises, with such essential gravity that we cannot help but be persuaded of its real importance in Cocteau's eyes, nor easily dismiss it as repetitious or irrelevant.

Although Cocteau went through the first half of the twentieth century* and remained impervious, it would seem, to the social and political forces at play in those years, he is nevertheless an important representative of his era. His own preoccupation with the creative power as such, far from removing him into a quiet and secluded esthetic world, links his work to the prevailing modern mood of questioning, of search.

Refusing to conform to any prevalent notion of what an artist should be or say, Cocteau has steadfastly reaffirmed the importance of the artist's responsibility to himself. For the artist, then, as for the youthful hero of *Thomas l'Imposteur,* to persevere in the attainment of one's inner truth, unmindful of the risks involved, is the only vocation. The betrayal of that truth would constitute the only real imposture.

* Cocteau died October 11, 1963, as this book was going to press.

*L*A GUERRE commença dans le plus grand désordre. Ce désordre ne cessa point, d'un bout à l'autre. Car une guerre courte eût pu s'améliorer et, pour ainsi dire, tomber de l'arbre,[1] tandis qu'une guerre prolongée par d'étranges intérêts, attachée de force à la branche, offrait toujours des améliorations qui furent autant de débuts et d'écoles.[2]

Le gouvernement venait de quitter Paris, ou, suivant la formule naïve d'un de ses membres: de se rendre à Bordeaux[3] pour organiser la victoire de la Marne.[4]

Cette victoire, mise sur le compte du miracle,[5] s'explique à merveille. Il suffit d'avoir été en classe.[6] Les polissons l'em-

[1] **tomber de l'arbre** *The metaphor likening the development of a war to the ripening of a fruit is continued in the phrase* **attachée de force à la branche.** *In this paragraph Cocteau isolates one particular characteristic of the war, presenting it as a prolonged and disorderly chain of events rather than as a political or historical conflict* (**eût pu** = aurait pu).

[2] **qui furent autant de débuts et d'écoles** which proved to be so many fresh starts and schools of thought (*that kept the war going*). *Cocteau implies that the disorder in which the war developed allowed extraneous interests to keep interfering in it and prolonging it, adding to the disorder which kept it from falling off the tree like a ripe fruit. Note the dissimulated irony.*

[3] **Bordeaux** *City in southeastern France.*

[4] **la victoire de la Marne** *The Marne River flows into the Seine at Charenton about a mile east of Paris. The German army succeeded early in the war in occupying a position on the Marne close enough to Paris so that the famous gun "Big Bertha" was in striking distance of the French capital. After a series of attacks and counterattacks the French finally succeeded in retaking the enemy holdings on the Marne in September 1914.*

[5] **mise sur le compte du miracle** attributed to a miracle.

[6] **Il suffit d'avoir été en classe** Anyone who has been to school knows that. . . .

portent toujours sur les forts en thème,[7] pour peu[8] qu'une circonstance empêche ces derniers[9] de suivre aveuglément le plan qu'ils se sont fait. Toujours est-il que le désordre 15 vivace, vainqueur de l'ordre massif, n'en était pas moins du désordre. Il favorisa l'extravagance.

La fille d'un des hauts dignitaires de la République avait, dans Paris tranquille, transformé la maison de santé du docteur Verne en Croix-Rouge.[10] C'est-à-dire qu'elle avait 20 transformé le bas de ce vieil et magnifique hôtel[11] de la rive gauche,[12] et laissé le reste aux malades civils. Elle avait déployé dans cette œuvre charitable un zèle que rien ne refroidit, sauf le départ du gouvernement. Elle s'excusa, expliqua au docteur l'obligation où elle se trouvait de suivre 25 son père, bien qu'elle fût d'âge[13] à ne plus obéir.

Elle partit donc, laissant les salles pleines de lits et d'appareils, aux mains des chirurgiens, des infirmiers bénévoles et des Sœurs.

Le docteur Verne était spirite.[14] Il négligeait la clientèle 30 nombreuse à cause des spécialistes de premier ordre[15] attachés à l'établissement.

Verne, qu'on soupçonnait de boire, s'enfermait une partie de la journée dans son cabinet, ancienne loge de concierge donnant sur[16] la cour, et, de là, hypnotisait le per- 35 sonnel.

—Boitez, ordonnait-il à l'un. —Toussez, ordonnait-il à l'autre. Rien ne le distrayait plus que ces phénomènes ridicules. Il avait, par ruse, endormi presque toute la maison,[17]

---

[7] **fort en thème**   book worm.

[8] **pour peu que**   if by any chance.

[9] **ces derniers** = les forts en thème.

[10] **avait . . . transformé la maison de santé du docteur Verne en Croix-Rouge**   had transformed Dr. Verne's clinic into a Red Cross center (**la maison de santé**   the clinic).

[11] **hôtel**   private house.

[12] **la rive gauche**   In Paris the left bank of the river Seine.

[13] **bien qu'elle fût d'âge**   although she was old enough. *The irony is obvious.*

[14] **spirite**   a believer in spirits (*table turning, etc.*).

[15] **spécialistes de premier ordre**   first-class specialists. *The "because" is ironical; the reputation of the specialists amply makes up for the doctor's neglect of his patients.*

[16] **donnant sur**   which looked out over.

[17] **toute la maison**   everybody in the house.

et les patients, dès lors[18] sous son influence, devenaient ses 40
victimes. La clientèle le savait original, mais ignorait sa
manie. Elle recevait sa visite quotidienne. Il se bornait à con-
sulter la fiche de température et à prononcer, de chambre en
chambre, quelques phrases d'hôtelier qui passe de table en
table.   45
    L'hôtel de Verne était l'ancien hôtel Joyeuse, rue Jacob.
Le bâtiment, flanqué d'ailes neuves, s'élevait entre la cour
ronde et le jardin. Les pièces du rez-de-chaussée grandes
ouvertes,[19] on apercevait ce jardin, une pelouse et des plates-
bandes.[20] Aussi, la façade triste ayant accablé le malade qu'on 50
y amenait, avait-il,[21] ensuite, la charmante surprise des arbres.

Dans une de ces chambres aux boiseries intactes mais ripolinées[22] selon les règles de l'hygiène, couchait la fille de la
princesse de Bormes. Cette jeune fille était opérée depuis
peu de l'appendicite. La princesse, qui ne voulait pas se
séparer d'elle, habitait une petite pièce voisine.   5
    Madame de Bormes était, par force, une des seules per-
sonnes de son monde[23] restées à Paris, après le départ pour
Bordeaux. Elle se félicitait secrètement d'avoir un motif qui
la retînt dans la capitale. Elle ne croyait pas à la prise de
Paris. Elle n'y croyait pas parce qu'il était d'usage d'y croire, 10
et, comme il arrive neuf fois sur dix, son tour d'esprit
frondeur[24] lui donnait une double vue.[25] On ne l'en traitait
pas moins de folle,[26] et, le matin même du départ, Pesquel-
Duport, son ami, directeur du journal *Le Jour*, l'ayant en
vain suppliée de transporter sa fille à Bordeaux, lui cria 15

[18] **dès lors**   from that time on.
[19] **Les pièces . . . ouvertes** = Quand les pièces du rez-de-chaussée étaient
grandes ouvertes.
[20] **plates-bandes**   flower borders.
[21] **avait-il** = le malade avait. *Note the effect achieved by this unusual
construction, whereby the object of the subordinate clause becomes the
subject of the main clause which follows.*
[22] **ripolinées**   enameled.
[23] **son monde** = son milieu.
[24] **frondeur**   irreverent.
[25] **double vue**   second sight.
[26] **On ne l'en traitait pas moins de folle**   She was nonetheless called a
fool.

qu'elle restait par vice et pour entendre les fifres jouer la marche de Schubert.[27]

Ses vrais mobiles étaient d'un autre ordre.

Veuve, fort jeune, du prince, mort d'un accident de chasse deux ans après leur mariage, la princesse de Bormes [20] était Polonaise. La Pologne est le pays des pianistes. Elle jouait de la vie[28] comme un virtuose du piano et tirait de tout l'effet que ces musiciens tirent des musiques médiocres comme des plus belles. Son devoir était le plaisir.

C'est ainsi que cette femme excellente disait: "Je n'aime [25] pas les pauvres. Je déteste les malades."

Rien d'étonnant[29] que de telles paroles scandalisassent.

Elle voulait s'amuser et savait s'amuser. Elle avait compris, à l'encontre des[30] femmes de son milieu, que le plaisir ne se trouve pas dans certaines, choses mais dans la [30] façon de les prendre toutes.[31] Cette attitude exige une santé robuste.

La princesse dépassait la quarantaine. Elle avait des yeux vifs dans un visage de petite fille, que l'ennui flétrissait instantanément. Aussi le fuyait-elle et recherchait-elle le rire [35] que les femmes évitent parce qu'il donne des rides.

Sa santé, son goût de vivre, la singularité de ses modes et de son mouvement lui valaient[32] une réputation épouvantable.

Or, elle était la pureté, la noblesse mêmes. C'est ce qui [40] ne pouvait se faire comprendre aux personnes pour qui noblesse et pureté sont des objets divins dont l'usage est sacrilège. Car la princesse s'en servait,[33] les assouplissait et leur communiquait un lustre nouveau. Elle déformait la vertu comme l'élégance déforme un habit trop roide,[34] et la [45]

---

[27] **Schubert** *Franz Schubert, Austrian composer (1797–1828) whose "Marche militaire" is well known. This is an allusion to the possible capture of Paris and the triumphal entry of the German troops.*

[28] **jouait de la vie** *Cf. jouer du piano. The simile compares the princess to a virtuoso.*

[29] **Rien d'étonnant** = Ce n'était pas étonnant.

[30] **à l'encontre de** unlike, contrary to.

[31] **le plaisir ne se trouve pas . . . prendre toutes** pleasure does not consist in having certain things but rather in the way one takes everything.

[32] **lui valaient** were responsible for.

[33] **s'en servait** = se servait de ces objets divins: la pureté, la noblesse.

[34] **Elle déformait . . . un habit trop roide** *Note that the verb **déformer** has completely different connotations in each part of the simile.*

beauté de l'âme lui était si naturelle qu'on ne la lui remarquait pas.[35]

C'est donc, de la sorte dont les gens mal habillés jugent
l'élégance, que la jugeait le monde hypocrite.[36]

Elle était née sous le signe des aventures. Sa mère, 50
enceinte, trompée, folle d'amour, s'était attelée à la recherche[37] du coupable, disparu depuis plusieurs mois. Elle
l'avait découvert, dans une petite ville russe. Là, contre une
porte derrière laquelle on entendait un dialogue, et où elle
n'osait sonner, cette amoureuse était morte de fatigue et de 55
douleur en mettant une fille au monde.

Cette fille, Clémence, avait grandi auprès d'un domestique ivrogne. A la mort de son père, une cousine l'avait
élevée. Mais cette enfant muette, farouche, qui se protégeait
instinctivement avec son épaule, se développa d'un coup, 60
comme le rosier des fakirs.[38]

La cousine, stupéfaite, la vit, après un bal, devenir tur-
bulente. Elle poussait, s'épanouissait, fleurissait, au dedans et
au dehors. Elle fut un vrai diable et l'organisatrice des fêtes
de la jeunesse. 65

Enfin, après rencontre du prince de Bormes, voyageur
diplomatique, elle se fiança en quatre jours. Le prince était
ensorcelé. Elle, voyait[39] à travers lui la France et sa capitale.
Paris lui semblait le seul théâtre digne de ses débuts.

Il faut toujours un certain temps pour que la sincérité 70
du premier jet[40] s'étouffe, pour que le public se fige, craigne
d'avoir montré du cœur et de s'être laissé prendre.

La princesse bénéficia d'abord de la surprise que causa
son entrée en scène.

[35] **on ne la lui remarquait pas** *Cocteau makes frequent use in his writings of the famous retort of Beau Brummell, the early nineteenth century English dandy, who, upon being complimented on his clothes, said "I could not have been elegant since you noticed it."*
[36] **C'est donc, . . . jugeait le monde hypocrite** = Le monde la jugeait hypocrite selon les mêmes critères dont usent les gens mal habillés pour juger l'élégance.
[37] **s'était attelée à la recherche** *Cf.* **s'atteler à une tâche** to buckle down to a task.
[38] **le rosier des fakirs** *This is a trick performed in India. The fakir takes two leaves of a rosebush, covers them with a piece of cloth and, after the appropriate magical gestures, produces the entire plant.*
[39] **Elle, voyait . . .** Quant à elle, elle voyait. . . .
[40] **la sincérité du premier jet** the sincerity of a first flush of emotion.

Peu à peu, elle choqua par son aisance et sa politique 75
maladroite.[41]

Elle touchait à ce qui ne se touche pas, ouvrait ce qui
ne s'ouvre pas et parlait sur la corde raide,[42] au milieu d'un
silence glacial. Chacun souhaitait qu'elle se rompît le cou.
Après avoir diverti, elle dérangeait. Elle entrait dans le 80
monde comme un jeune athlète entrerait dans un cercle et
brouillerait les cartes[43] en annonçant qu'il faut jouer au foot-
ball. Les vieux joueurs[44] (vieux ou jeunes), étourdis par tant
d'audace, s'étaient soulevés de leurs fauteuils. Ils y retom-
bèrent vite et lui en voulurent.[45]   85

Mais, si ce caractère haut en relief et en couleur[46] offen-
sait les uns, il en séduisait d'autres. Ces autres étaient le petit
nombre, celui-même d'après lequel Montesquieu souhaitait
qu'on jugeât au tribunal.[47]

Aussi, d'imprudences en imprudences, la princesse de 90
Bormes faisait-elle le plus adroit travail de filtre;[48] éloignant
d'elle le médiocre et ne retenant que la qualité.

Sept ou huit hommes, deux ou trois femmes de cœur,[49]
devinrent ses intimes. C'étaient juste ceux qu'une intrigante
eût souhaité avoir et eût manqués.[50]   95

---

[41] **sa politique maladroite**   her clumsiness in dealing with others.

[42] **parlait sur la corde raide**   *Cf. marcher sur la corde raide*   to walk
the tightrope.

[43] **brouillerait les cartes**   upset things; **brouiller les cartes**   (*literally*)
to shuffle the cards. *The figurative use of this expression takes on added
irony because of the context: the members of the cercle might well be
playing cards.*

[44] **vieux joueurs**   habitual players.

[45] **lui en voulurent**   were angry at her (**en vouloir à quelqu'un**   to be
angry at someone.)

[46] **haut en relief et en couleur**   pronounced and highly colored.

[47] **Ces autres étaient . . . jugeât au tribunal**   These others were the
few, the very ones on the basis of whose opinion Montesquieu wished
judgments to be passed in courts of law. *Charles de Secondat, baron de
Montesquieu (1689–1755), French writer and political theorist who ad-
vocated the principle of the balance of power between executive, legis-
lative, and judicial branches of government.*

[48] **Aussi . . . faisait-elle le plus adroit travail de filtre**   Thus . . . she
accomplished most adroitly the work of a filter.

[49] **femmes de cœur**   spirited women.

[50] **C'étaient juste ceux qu'une intrigante . . . eût manqués.**   They were
precisely those people whom a scheming woman would have wished to
have and would have failed to get.

Le reste, à cause du prince, dissimula des sentiments qui, après sa mort, devinrent une sourde cabale.[51] La princesse vit dans cette cabale un moyen de lutte et de déployer sa force. Elle riait au feu.[52] Elle complotait avec son état-major.

On lui reprocha de porter mal son deuil. Mais elle 100 n'aimait guère le prince et répugnait à jouer un rôle de veuve inconsolable. Le prince lui laissait une fille: Henriette.

Henriette tenait du[53] prince l'admiration béate qui le paralysait en face de madame de Bormes. Clémence était née actrice, sa fille spectatrice, et son spectacle favori était sa 105 mère.

C'était, du reste, le plus beau spectacle du monde, que cette personne qui[54] attirait le surnaturel et autour de qui on eût dit que les anges volassent,[55] comme les oiseaux autour de l'oiseleur.   110

Si une préoccupation la tourmentait, l'atmosphère devenait irrespirable. On sentait son rayonnement, quel qu'il fût.

Cette femme qui se moquait d'avoir[56] la première place aux fêtes y voulait la meilleure. Ce n'est généralement pas la 115 même. Au théâtre, elle cherchait à voir et non à se faire voir. Les artistes l'aimaient.

La guerre lui apparut tout de suite comme le théâtre de la guerre. Théâtre réservé aux hommes.

Elle ne pouvait se résoudre à vivre en marge de la chose 120 qui avait lieu;[57] elle se voyait exclue du seul spectacle qui comptât désormais. C'est pourquoi, loin de déplorer que des circonstances la retinssent à Paris, elle les bénissait et remerciait sa fille.

Paris, ce n'était pas la guerre. Mais, hélas, il en devenait 125 proche, et cette nature intrépide[58] écoutait le canon comme,

[51] **une sourde cabale**   a silent conspiracy.
[52] **Elle riait au feu**   *Feu is used here in its military sense; note in the following sentence:* **état-major**   general staff.
[53] **tenait du**   inherited from.
[54] **C'était, du reste, . . . personne qui**   Besides, this was the most wonderful show in the world, this person who.
[55] **volassent**   *imperf. subj. of* **voler.**
[56] **qui se moquait d'avoir**   who really didn't care to have.
[57] **Elle ne pouvait se résoudre . . . qui avait lieu**   She could not bring herself to live on the sidelines of this thing that was taking place.
[58] **cette nature intrépide** = la princesse.

au concert, on écoute l'orchestre derrière une porte que les
contrôleurs vous empêchent d'ouvrir.

Dans cette soif de guerre, la princesse était aussi peu
malsaine que possible.[59] Le sang, la fièvre, le vertige des 130
courses de taureaux ne l'attiraient pas. Elle y pensait avec
dégoût. Elle plaignait les blessés, pêle-mêle.[60] Non; elle était
amoureuse folle des modes, légères ou profondes. La mode
était au danger; elle mourait de calme. La jeunesse se dépensant et se prodiguant jusqu'à se jeter par les fenêtres,[61] elle 135
trépignait d'inaction. Elle aurait voulu que les événements
l'aidassent, la soutinssent, comme la foule aide une femme
à voir le feu d'artifice.[62]

De si grands trésors[63] ne se comprennent pas. Ils paraissent suspects. Le monde avare vous accuse de battre monnaie.[64] 140

En l'occurrence, la folie de l'espionnage[65] accusait madame de Bormes d'être Polonaise,[66] c'est-à-dire espionne.

Rue Jacob, elle plaisait.[67] Elle en profita. Son génie la
mit vite sur la piste d'un ingénieux moyen de prendre part
aux événements.   145

Le bas de l'hôtel était une ambulance,[68] mais une ambulance vide. Elle imagina de la remplir. Il s'agissait d'im-
proviser un convoi, de recruter voitures et conducteurs bénévoles, d'obtenir les laissez-passer nécessaires et de prendre
au front le plus de blessés possible. Elle fit miroiter la croix 150
au docteur[69] qui devint son complice, sonna le branle-bas
dans cet hôpital de Belle-au-Bois-dormant,[70] secoua sa torpeur

[59] **aussi peu malsaine que possible**   as little unhealthy as can be.
[60] **pêle-mêle**   one and all.
[61] **La jeunesse se dépensant . . . les fenêtres**   While youth was exerting
itself and sparing itself nothing to the point of jumping out of windows.
[62] **le feu d'artifice**   fireworks.
[63] **De si grands trésors**   Refers to the moral qualities of the princess.
[64] **battre monnaie**   to coin money.
[65] **la folie de l'espionnage**   popular mania for uncovering spies.
[66] **Polonaise**   *That is to say, a foreigner, therefore, automatically a spy.*
[67] **elle plaisait** = madame de Bormes plaisait.
[68] **ambulance**   dressing station. *The word also means ambulance.*
[69] **Elle fit miroiter la croix au docteur**   She dangled the military cross
in front of the doctor (**la croix** = **la Croix de guerre**   *A military decora-*
tion).
[70] **sonna le branle-bas . . . Belle-au-Bois-dormant**   (she) sounded the
call to arms in this Sleeping Beauty of a hospital.

de chloroforme, exalta le patriotisme de la femme du radiographe. Elle monta, pièce par pièce, une vaste machine.

Le plus difficile était de trouver des voitures et des con- 155
ducteurs. La princesse n'en revenait pas. Elle croyait une quantité de gens désireux de[71] vivre double et de voir la mort de près.

Enfin, elle réunit onze véhicules, y compris sa limousine et l'ambulance de l'hôpital. 160

D'un coup d'œil, elle avait vu les avantages du grabuge, alors à son comble.

C'était l'époque où le vieil uniforme, en route vers le neuf,[72] devenait méconnaissable. Chacun l'accommodait à sa guise. Et cette mue, si drôle en ville, était superbe aux 165 armées: une avalanche de sans-culottes.[73]

La princesse devina notre étonnante victoire révolutionnaire aux routes jonchées de bouteilles de champagne, de chaises et de pianos mécaniques.

Elle se représentait moins, avouons-le, les mascarades, 170 les dentiers, les gros ventres, les gaz nauséabonds de la mort, et que, bientôt, chasseurs et gibier deviendraient des plantes face à face, des frères siamois[74] réunis par une membrane de boue et de désespoir.

Elle sentait la gloire comme un cheval l'écurie. Elle 175 volait à la suite de nos troupes. Elle piaffait sous sa coiffe blanche. Elle sortait de la chambre de sa fille trente fois par jour et revenait lui rendre compte de ses démarches.

[71] **La princesse . . . . gens désireux de** The princess could not get over it. She believed there was a great number of people who yearned to.
[72] **en route vers le neuf** in the process of being replaced by the new one. *The change over to a new uniform created a certain amount of confusion; this lack of standardization made it more difficult to identify official personnel at sight. Though it was a civilian enterprise, the convoy stood a good chance of succeeding. This situation caused Cocteau to compare it to a similar kind of anarchy among the soldiers of the French Revolution, the "sans-culottes."*
[73] **sans-culottes** *This was the name given by the French aristocracy (1792) to the revolutionaries who, to set themselves apart, wore trousers instead of the customary breeches (culottes). Allusion to the French Revolution is continued in the following paragraph:* **victoire révolutionnaire.**
[74] **des plantes face à face, des frères siamois** plants rooted face to face, Siamese twins.

On ne reconnaissait plus la cour d'honneur, si digne, avec son pavé envahi d'herbe. Les moteurs ronflaient. Les véhicules reculaient les uns dans les autres.[75] Les chauffeurs criaient. La princesse traînait Verne à ses trousses,[76] distribuait les rôles. 5

Enfin, comme au fameux "Lâchez tout" du colonel Renard, assis au coin du feu, près de sa femme en train de tricoter, dans son dirigeable modèle qui ne voulut jamais partir, s'éleva de dix centimètres et retomba brutalement, le convoi ne partit pas le jour convenu.[77] Il lui manquait un 10 laissez-passer rouge.

Madame de Bormes, après une visite d'enjôleuse aux Invalides,[78] avait cru obtenir le Sésame-ouvre-toi de la guerre. Elle n'emportait qu'un coupe-file,[79] juste valable pour se rendre à Juvisy.[80] 15

La déception fut d'autant plus grosse que le cortège s'était mis en branle[81] à l'aube, au milieu des applaudissements des crémières et du personnel. Il lui fallut rebrousser chemin, et rentrer, trois heures après, à la queue leu leu,[82] tête basse. 20

Mais l'impulsion était donnée. Rien ne pouvait l'inter-

[75] **Les véhicules reculaient les uns dans les autres.** The vehicles were backing into each other.

[76] **traînait Verne à ses trousses** dragged Verne at her heels.

[77] *The subject of* **s'éleva** *is* **son dirigeable modèle;** *the main clause of the sentence is at the end:* **le convoi ne partit pas le jour convenu.** *Colonel Renard made the first flight in a motor-driven dirigible in 1885 in Paris.* **Modèle** *means "model" or "type." In refering to dirigibles one uses a phrase such as "dirigeable modèle Parseval," i.e., a specific type of dirigible. Cocteau is obviously amusing himself at the expense of this phrase: it is highly unlikely that a model dirigible was ever used by Colonel Renard.*

[78] **visite d'enjôleuse aux Invalides** coaxer's call to the Invalides. *The hôtel des Invalides formerly housed wounded veterans and during the war was the site of the army administrative offices.*

[79] **coupe-file** a police pass (*permitting travel in otherwise restricted areas*).

[80] **Juvisy** *City a few miles to the south of Paris.*

[81] **le cortège s'était mis en branle** the procession had got itself going.

[82] **à la queue leu leu** single file.

rompre. La princesse recommença ses démarches et la cour offrit derechef[83] un spectacle d'usine.

*I*l poussait entre les fentes de cette cour d'étranges champignons.[84]

L'orage de la guerre eut sa faune et sa flore, éteintes sitôt la paix.[85]

Madame Valiche en fut un spécimen.   5

Éprise de drame, pour d'autres motifs que la princesse, elle s'était offerte au convoi comme infirmière-major. Elle amenait avec elle un mauvais dentiste, le docteur Gentil, qu'elle donnait pour chirurgien des hôpitaux.[86] Elle était aussi laide, vulgaire et rapace que madame de Bormes était 10 belle, noble, désintéressée. Ces deux femmes se rencontraient sur le terrain de l'intrigue. Simplement, l'une intriguait pour son plaisir, l'autre pour son intérêt.

Madame Valiche voyait dans cette guerre confuse une excellente eau trouble, une pêche miraculeuse aux récom- 15 penses.[87] Elle aimait le docteur Gentil et le poussait.[88] Elle joignait à ce mobile un goût maladif pour l'atroce.

La princesse confondait cet enthousiasme avec le sien. Elle devait bientôt s'apercevoir de leurs différences profondes.

Madame Valiche était veuve d'un colonel, mort des 20 fièvres au Tonkin.[89] Elle racontait cette mort et les péripéties du cercueil qu'elle ramenait en France. Ce cercueil, mal attaché à la grue qui le débarquait, était finalement tombé à

[83] **derechef**   once again.
[84] **Il poussait**   Il *is the impersonal subject; the real subject is* **d'étranges champignons.** *Here Cocteau gives another aspect of his attitude toward the war.* (*See Introduction.*)
[85] **sitôt la paix**   as soon as peace was restored.
[86] **qu'elle donnait pour chirurgien des hôpitaux**   whom she passed off as a surgical specialist.
[87] **Madame Valiche voyait . . . aux récompenses**   Madame Valiche saw in this confused war an excellent "troubled water," miraculous fishing for personal gain. Cf. *pêcher en eau trouble* to fish in troubled waters. *La pêche miraculeuse* is one of the miracles of Christ (Luke 5).
[88] **poussait**   (*dans sa carrière*).
[89] **Tonkin**   *One of the countries which made up French Indochina.*

l'eau. Elle se consolait avec le dentiste. Il avait une barbe noire, une figure jaune, des yeux d'almée.[90] 25

Ce couple vivait en blouse et en bonnet de police.[91] Madame Valiche avait cousu des galons sur son amant et sur elle-même. Elle suivait Clémence dans les bureaux où son aplomb et ses brassards faisaient merveille.

Mais, malgré tant de grâce d'une part et tant d'astuce de 30 l'autre, le convoi restait un convoi idéal, cassant la tête des malades[92] et donnant à l'ambulance l'aspect d'un ministère.

Ce fut cette cour bruyante et encombrée que vit un soir, par la porte large ouverte, un jeune soldat qui passait dans la rue. Il s'arrêta, s'appuya contre une des bornes et jeta sur ce tohu-bohu le regard avec lequel Bonaparte devait observer les Clubs.[93] 5

Après avoir longuement hésité, il entra et se mêla aux mécaniciens.

Il paraissait si jeune que son uniforme lui donnait un air d'enfant de troupe.[94] Mais ce qui rendait sa jeunesse incroyable, c'était un mince galon de sous-officier, sur la 10 manche de sa petite vareuse bleue. Sa figure, fraîche, animale, bien faite, l'introduisait plus vite que n'importe quel certificat.

Au bout de dix minutes, il aidait tout le monde et savait tout. Il savait même qu'on avait apporté, la veille, le général 15 d'Ancourt, seul hôte d'une des chambres du rez-de-chaussée.

[90] **des yeux d'almée**   the eyes of an Egyptian dancer.

[91] **en blouse et en bonnet de police**   in their military hospital garb. *The expression* **bonnet de police** *merely signifies a certain shape of cap resembling that of a private in the American army.*

[92] **cassant la tête des malades**   driving the hospital inmates crazy (*with their noise and commotion*).

[93] **jeta sur ce tohu-bohu . . . les Clubs**   cast upon this hubbub the glance with which Bonaparte must have observed the Clubs. (*The Clubs were influential sources of political opinion. Though wary of their loyalty, Bonaparte used them to establish his power. Note the mock heroic comparison.*)

[94] **enfant de troupe**   *In former times, the orphaned son of an army man, raised and schooled in the barracks.*

Le général était l'ami du chirurgien-chef de la rue Jacob, et
ce chirurgien avait obtenu que l'hôpital Buffon le lui cédât.
On devait lui couper la jambe. Il délirait. Son ami gardait
peu d'espoir.   20

De groupe en groupe, le jeune militaire finit par rencontrer le docteur Verne qui dressait avec la princesse une
liste des membres de l'association.

—Qui êtes-vous? demanda Verne, toujours brusque.
—Guillaume Thomas de Fontenoy, répondit-il.   25
—Parent du général de Fontenoy?
Ce général était alors en grande vedette.[95]
—Oui, son neveu.
L'effet de la réponse fut immédiat, car le docteur ne
perdait jamais sa croix de vue. Elle le guidait, comme l'étoile 30
les mages.[96]

—Diable! s'écria-t-il. Et vous êtes des nôtres?[97]
—Je suis, dit alors le jeune homme, secrétaire du général
d'Ancourt. Il n'a, hélas! aucun besoin de mes services, et je
m'occupe comme je peux, sans trop m'éloigner de lui.   35
—Mais c'est le Ciel qui vous envoie, s'écria la princesse;
le général, si on le sauve, en a encore pour des mois de
chambre.[98] Je vous enrôle. Je suis votre général.
Pendant que Verne sentait grossir sa croix, Clémence
envisageait les mille ressources du nom magique. Cette   40
femme, qui ne voyait pas les pièges à deux mètres, voyait
dans l'avenir. Encore une fois, elle vit juste.

Guillaume Thomas, malgré son nom d'incrédule,[99]était
un imposteur. Il n'était ni le neveu du général de Fontenoy,

[95] **était alors en grande vedette** was the hero of the hour (*être en vedette* to be in the limelight).
[96] **comme l'étoile les mages** = comme l'étoile guidait les mages (*les Trois Mages* the Three Wise Men).
[97] **vous êtes des nôtres?** you are one of us?
[98] **en a encore pour des mois de chambre** will be confined to his room for months yet.
[99] **incrédule** Cf. *doubting Thomas, a reference to Thomas the Apostle who doubted the resurrection of Christ.*

ni son parent d'aucune sorte. Il était né à Fontenoy, près 45
d'Auxerre, où des historiens placent la victoire de Fontanet,
remportée en 841 par Charles le Chauve.[100]

Lorsque la guerre fut déclarée, il avait seize ans. Il devint
enragé. Il maudissait son âge. Il tenait d'un grand-père, capitaine au long cours,[101] le goût des escapades. Il était orphelin 50
et habitait Montmartre avec sa tante, vieille fille dévote qui
le laissait courir n'importe où, ne s'occupait que du salut de
son âme et se souciait peu de celui des autres.

Trouvant déjà dans le mensonge une antichambre des
aventures, Guillaume se vieillissait,[102] racontait aux voisines 55
qu'il allait s'engager, qu'il obtiendrait une autorisation spéciale, et parut un beau jour en uniforme. Il tenait l'uniforme
d'un camarade.

Sous le couvert de ce déguisement, il polissonnait, rôdait
autour des casernes et de la grille des Invalides. 60

Il disait à sa tante: "Je prépare l'école de tir."[103] Tout
était si sombre, si remué qu'on admettait n'importe quoi.[104]

De fil en aiguille,[105] il lui arriva ce qui arrive aux enfants
qui jouent. Il crut au jeu. Il s'attacha un galon.

Personne ne l'arrêtait. Il n'éprouvait aucune crainte. Il 65
se sentait fier de ce que les civils se retournassent sur son
passage. Un jour, ayant montré à un cycliste auxiliaire[106]
un papier de famille portant le nom de Fontenoy, ce cycliste
crut qu'il s'appelait Thomas de Fontenoy et lui posa la même
question que Verne. Il fit, pour la première fois, sa réponse 70
affirmative et joignit désormais ce titre à ses accessoires de
jeu.

_V_ous voyez de quelle race d'imposteurs relève notre jeune
Guillaume. Il faut leur faire une place à part. Ils vivent une

---

[100] **Charles le Chauve** _Grandson of Charlemagne, became King of
France as a result of this victory._
[101] **capitaine au long cours** sea captain.
[102] **se vieillissait** made himself seem older.
[103] **Je prépare l'école de tir** I am attending rifle school.
[104] **on admettait n'importe quoi** people were ready to believe anything.
[105] **De fil en aiguille** Gradually.
[106] **cycliste auxiliaire** a soldier of an auxiliary corps, on a bicycle.

moitié dans le songe. L'imposture ne les déclasse pas, mais les surclasse plutôt. Guillaume dupait sans malice. La suite montrera qu'il était sa propre dupe. Il se croyait ce qu'il n'était pas, comme n'importe quel enfant, cocher ou cheval.[107]

On l'eût bien surpris[108] en lui démontrant qu'il risquait la prison.

Pour expliquer son immunité bizarre, je citerai l'exemple d'une scène qui se reproduisit vingt fois.

Guillaume passe, place des Invalides, avec madame Valiche. Il raffole d'armes à feu. Il porte un revolver d'ordonnance à la ceinture. Il arbore un calot et un brassard de Croix-Rouge du docteur Gentil, galonnés d'or.[109]

Un capitaine l'arrête. Voici leur dialogue:—Dites donc! —Mon capitaine?—Qu'est-ce que c'est que cette tenue?[110] Vous portez un revolver et un brassard de Croix-Rouge?— Mais, mon capitaine. . . .—Et ce calot? Qu'est-ce que c'est que ce calot?—C'est le calot de Cyr, mon capitaine.—Hein? Vous êtes à Saint-Cyr?[111] Je n'aime pas qu'on se moque de moi. Comment vous appelez-vous?—Thomas de Fontenoy, mon capitaine.— De Fontenoy? Vous êtes parent du général? —Son neveu, mon capitaine.—On raconte qu'il a tourné l'aile gauche des Allemands.—C'est exact, mon capitaine.— Dites donc, entre nous, je sais bien que la plus grande fantaisie règne dans les tenues, mais ne mettez pas un brassard et un revolver. Choisissez. Mettez l'un ou l'autre. Parce que, ajoute paternellement ce militaire, vous tombez sur moi,[112] mais vous pourriez tomber sur un imbécile.

La princesse entraîna d'office[113] Guillaume dans la ronde. Elle ne quittait plus ce talisman. En quarante-huit heures, elle obtint ce qu'elle essayait d'obtenir depuis quatre se-

[107] **Il se croyait . . . cocher ou cheval** He imagined himself to be something he was not, as does any child, a coachman or a horse.
[108] **eût . . . surpris** aurait surpris.
[109] **galonnés d'or** trimmed with golden stripes.
[110] **tenue** uniform.
[111] **Cyr** *Saint-Cyr school for the training of army officers (roughly equivalent to West Point)*.
[112] **vous tombez sur moi** you happen on me.
[113] **d'office** automatically.

maines. Le nom de Fontenoy ne faisait jamais antichambre.[114]
On grondait Guillaume, on lui pinçait l'oreille, on lui dis-   5
tribuait de petites claques, et il emportait les permis.

On joignit même au convoi un planton qui savait les
mots de passe et qui devait l'accompagner dans ses voyages,
sur le siège de la voiture de tête.[115] Cette voiture était celle
de madame Valiche et du dentiste, la suivante, celle de la   10
princesse, les autres se plaçaient au hasard. Leurs conducteurs
étaient, qui un chemisier, qui un écrivain, qui un oisif.[116]

Ils partirent à onze heures du soir.

Ce qui compliquait encore l'hétéroclite[117] d'une pareille
distribution était que, le mécanicien de madame de Bormes   15
ayant reçu sa feuille de route,[118] elle avait mis à sa place un
pauvre peintre russe qui parlait fort peu notre langue et se
faisait chauffeur par amour. La princesse l'aidait à vivre. Il
l'adorait. Il conduisait mal. Mais il n'avait pas à conduire vite
et suivait la voiture directrice.   20

Madame Valiche et le docteur Gentil, qui n'avaient
jamais eu de voiture, jouissaient de cette promenade et se
sentaient en route vers la fortune.

Ils allongeaient leurs jambes sur les caisses de biscuits
secs, d'oranges et de Cordial-Médoc,[119] que madame de   25
Bormes emportait pour les blessés. Ils étiraient leurs membres, caressaient leurs galons et s'embrassaient aux caniveaux.[120] A chaque poste la voiture stoppait.

Qui va là? Qui vive?[121] Une ombre menaçante barrait la
route. Le planton, jouet mécanique, sautait du siège, par-   30
lait à l'oreille de l'ombre, remontait à sa place, et le cortège
continuait, déambulait le long des côtes, traversait des vil-
lages en ruines.

---

[114] **ne faisait jamais antichambre**   was never kept waiting.
[115] **la voiture de tête**   the lead car.
[116] **qui un chemisier, qui un écrivain, qui un oisif**   one a shirtmaker,
one a writer, one unemployed.
[117] **l'hétéroclite**   the oddity.
[118] **feuille de route**   marching orders (*having been drafted*).
[119] **Cordial-Médoc**   *Wine-base cordial produced in Médoc, a wine-
growing region in southeastern France (a rather luxurious after-dinner
drink). Also note* **biscuits secs** *and* **oranges.**
[120] **s'embrassaient aux caniveaux**   kissed every time the car bumped
over a ditch.
[121] **Qui vive?**   Who goes there?

Un intermède absurde fut que madame de Bormes, qui partageait son automobile avec Guillaume, vit, par la lucarne 35 d'arrière, l'ambulance de l'hôpital illuminée comme une vitrine, rue de la Paix.[122] Le docteur Verne était sur son siège et, seule dans cet éclairage, la femme du radiographe, qu'on soupçonnait d'être la maîtresse de Verne, se tenait assise sur une pile d'oreillers, toute droite.   40

Elle se jouait un rôle d'ange.[123] Les yeux mi-clos, souriante, une main sur le commutateur, elle apparaissait et disparaissait à son gré, en traversant les campagnes.

Madame de Bormes pria Guillaume de se pencher à la portière et de crier au docteur d'éteindre. Il était périlleux 45 de jouer à l'ange dans ces parages, où la moindre lampe risquait de vous faire fusiller comme espion.

Clémence et Guillaume se comprenaient. Ils collaient leur nez aux vitres comme des enfants qui convoitent une pâtisserie.   50

Ils entraient dans les coulisses du drame. La scène se rapprochait, et ils dévisageaient cette solitude, ces arbres à droite et à gauche, cette nuit encombrée de canonnade. Ne ressemblaient-ils pas à ces mélomanes du poulailler, écoutant Stravinsky, penchés sur un gouffre noir.[124]   55

Le trajet interminable ne les fatiguait pas. Ils supportaient l'odeur brune du charnier, le bruit monotone de l'horizon qui s'écroule.

Bientôt ce bruit ne serait plus celui d'une porte cochère qu'on entend du cinquième étage. Il ébranlerait la voiture, 60 l'envelopperait de lueurs. La princesse et Guillaume, chacun à part soi, espéraient cette grande minute.

Quelle loi mystérieuse rassemble un Guillaume, une madame Valiche, une princesse de Bormes comme le vif-

[122] **rue de la Paix**   *Street in Paris famous for its exclusive shops.*
[123] **Elle se jouait un rôle d'ange**   She was playing for herself the part of an angel.
[124] **ces mélomanes du poulailler . . . gouffre noir**   those music lovers of the top gallery, listening to Stravinsky, leaning over a black abyss. *Igor Stravinsky, (1882–   ), Russian-born composer and long-time friend of Jean Cocteau; his ballet* Le Sacre du Printemps *shocked Paris in 1913.*

argent? Leur esprit d'aventure accourt se rejoindre du bout 65
du monde.

Soudain, la voiture directrice prit une traverse[125] et s'immobilisa. On distinguait une grille et des pilastres. Que se passait-il? Une chose simple. Verne avait une propriété aux environs de Paris. Il voulait y porter une centaine de pots de géranium. Sans souffler mot à la princesse dont il redoutait 5 les sarcasmes, il avait rempli les voitures de pots, en cachette, et convenu avec madame Valiche qu'on ferait cet immense détour.

Donc, au lieu de se rapprocher des lignes, on s'en écartait. 10

Lorsque la princesse de Bormes connut la manœuvre, elle devint hors d'elle-même.[126] Le docteur déchargeait ses géraniums. Elle le saisit par la manche. Mais, au moment où elle allait éclater en reproches, il tourna vers elle une figure si drôle qu'elle éclata de rire. Il portait, en effet, des lunettes 15 dont le masque de caoutchouc[127] lui faisait le profil grec. Ce rire le sauva. La princesse ne pouvait le vaincre. Elle alla rire aux larmes dans l'automobile. Ce rire fou[128] dura tant que le docteur et ses acolytes transportèrent les pots. Il se calmait, lorsque Verne, confus, vint lui présenter des excuses. Elle 20 rit de plus belle.[129]

—Voilà, pensait Guillaume, une femme avec qui on peut s'entendre. Elle entrait dans sa partie.[130] Il plaignait sa tante dévote. —Croyez-vous en Dieu, madame? lui demanda-t-il. —Oui, répondit Clémence; surtout quand j'ai peur. 25 Tenez, par exemple, en chemin de fer.

---

[125] **prit une traverse**   turned into a side road.
[126] **elle devint hors d'elle-même**   *Note the use of the verb* **devenir.** *In French, as in English, the expression is* **être hors de soi**   to be beside oneself.
[127] **masque de caoutchouc**   *Dr. Verne is wearing some type of goggles in common use in the early days of the automobile.*
[128] **rire fou**   laughing fit.
[129] **de plus belle**   all the harder.
[130] **Elle entrait dans sa partie**   She was one of his kind. *Cf.* ***ce n'est pas de ma partie***   that's not in my line.

*I*ls atteignirent M . . . à l'aurore.

La rue, à pic,[131] était pleine de monde. L'évêque s'y dépensait déjà,[132] en camail. Il ne quittait cette rue que pour sa chaire. Il était ambitieux. Il aimait la pompe et les honneurs. Aussi ne perdait-il pas un pouce[133] de sa gloire.   5

Cet homme théâtral se tenait là, debout, relevant haut sa robe, montrant ses mollets violets, comme si le flot allemand, parti, eût laissé des flaques.

Il avait galvanisé la ville, étouffé[134] le maire, et régnait comme un capitaine à son bord.   10

Les femmes baisaient son améthyste, les hommes attendaient ses ordres. Beau et gonflé, il était un fabuleux fuchsia.

Sur le passage du cortège qui coupait sa ville, il fronça le sourcil et retint sans peine[135] l'aspect des véhicules. La 15 princesse eût bien voulu recevoir sa bénédiction, mais Gentil était libre penseur. Il ne croyait même pas aux tables tournantes[136] comme madame Valiche que cette incrédulité complète émerveillait.

—Le monstre, disait-elle, il ne croit à rien.   20

—Si, madame, répondait le dentiste d'une voix méprisante, je crois. Je crois aux vibrations de l'éther.

L'évêque leur semblait ridicule.

—Il est en robe de bal[137] dès le potron-minet,[138] s'écriait madame Valiche.   25

—Bien le bonjour, Dominus vobiscum[139] amen, marmotta le docteur, et leur automobile entraîna les autres sous le regard courroucé du grand vieillard.

---

[131] **à pic** steep.

[132] **s'y dépensait déjà** was already busying himself there.

[133] **un pouce** one inch. *In addition to his spiritual leadership, the bishop has assumed control of the city in the disruption following the retreat of the German army.*

[134] **étouffé** silenced.

[135] **retint sans peine** effortlessly committed to memory.

[136] **tables tournantes** table turning (*the phenomenon by which spiritualists claim to communicate with the Beyond*).

[137] **robe de bal** ball gown.

[138] **le potron-minet** the crack of dawn.

[139] **Dominus vobiscum** the Lord be with you.

On peut brûler une ville; on ne brûle pas un évêque.[140]
Ils payèrent cette faute le surlendemain. Pour le moment, le 30
plus ennuyé était un séminariste. Il cherchait son frère dont
il était sans nouvelles et avait obtenu de suivre le convoi. Il
se pelotonnait sur le siège de la dernière automobile, mais
l'œil d'aigle de l'évêque, au passage, avait compté tous les
boutons de sa soutane. Il se sentait perdu. Madame Valiche 35
y pensa. —Pauvre vobiscum, dit-elle au docteur, il doit être
dans ses petits souliers.[141] Elle appelait vobiscum les prêtres.
Mais le docteur dormait. Madame Valiche l'enveloppa d'un
châle et prit sa main morte.

Le ciel était rose. Les coqs chantaient. Le canon secouait 40
les vitres. Les talus, les fumées, les caissons, les chevaux
étaient roses. Au bord d'un champ de betteraves roses, des
dragons,[142] en chemise, se débarbouillaient. Le passage de ces
femmes les stupéfia. La princesse, qui agitait sa main, vit
longtemps leurs figures roses avec des yeux ronds et des 45
bouches ouvertes.

—Les coulisses, se disait-elle. Voilà les acteurs, les figu-
rants qui s'habillent.

De pommier en pommier, de poste en poste, ils arrivèrent à une bourgade où l'on transportait les blessés sous une 50
tente ronde, dressée[143] sur la place comme un cirque. La
voiture de madame Valiche s'arrêta. Elle ne cherchait pas le
feu, elle en cherchait les victimes.

De jeunes médecins accueillirent aimablement, quoique
avec surprise, ce renfort inattendu. On ouvrit une caisse, on 55
distribua des bouteilles, et on prévint le médecin-chef. Le
médecin-chef vit ces civils d'un mauvais œil.[144] Il refusa
brutalement les blessés que lui demandait la princesse de
Bormes.

—Non, madame! criait-il. La paille, c'est le luxe des 60
blessés. Ils n'ont besoin de rien d'autre. D'ailleurs, *qu'on*

---

[140] **On peut brûler . . . pas un évêque** *Cf.* **brûler une ville** to go
through a city without stopping. *An appropriate English rendering
might be* You can bypass a town; you can't bypass a bishop.
[141] **être dans ses petits souliers**   to be squirming.
[142] **dragons**   dragoons, cavalry soldiers.
[143] **une tente ronde, dressée** (*dresser une tente*   to pitch a tent).
[144] **d'un mauvais œil** (*voir d'un mauvais œil*   to look disparagingly
upon).

laisse donc les blessés tranquilles. Les blessés, ce sera *l'encombrement* de cette guerre.

Tous les membres du convoi écoutaient, sans souffler mot. La princesse était prête à rompre.[145] Mais la vulgarité mate la vulgarité. Le major n'était sensible qu'à cela. Il haïssait le charme de Clémence. Madame Valiche le conquit. Elle plaça le nom de Guillaume avec un bonheur extraordinaire.[146] Le major devint un autre homme. Ses aides se détendirent. Le major refusait de donner ses blessés, mais il permettait qu'on leur distribuât des douceurs et qu'on les pansât. Il indiquait une ferme à neuf kilomètres où les blessés étaient si mal qu'on ne manquerait pas de les céder.

Sous la tente, une trentaine de martyrs agonisaient par terre sur des bottes de paille. Un parfum sans nom, fétide, douceâtre, à quoi la gangrène ajoutait son musc noir, tournait le cœur.[147] Les uns avaient le visage gonflé, jaune, couvert de mouches; d'autres le teint, la maigreur, les gestes de moines du Gréco.[148] Tous semblaient sortir d'un coup de grisou.[149] Le sang se caillait sur les uniformes en loques, et, ces uniformes n'offrant plus ni teinte exacte ni contour, on ne pouvait comprendre qui étaient les Allemands et qui les nôtres. Une grande stupeur les mariait.

En pénétrant dans un tel lieu, madame de Bormes craignit de se trouver mal. Elle fit un effort surhumain pour reprendre son équilibre. N'était-elle pas arrière-petite-fille d'un homme qui, plutôt que de se rendre, broya un verre et l'avala.

Une véritable surprise fut madame Valiche. Elle venait de rejoindre son élément. Cette morgue la transfigurait. Elle plaisantait, employait le vocabulaire des casernes, préparait des bandes et des seringues, coupait des capotes, enroulait, piquait, refusait ou donnait de l'eau.

—Hop! ma petite, cria-t-elle à la princesse, aussi gauche

---

[145] **rompre**   to break off.
[146] **Elle plaça le nom . . . bonheur extraordinaire**   She dropped the name of Guillaume with extraordinary success.
[147] **tournait le cœur**   made one's stomach turn.
[148] **le Gréco**   *el Greco (c. 1548–1625), Spanish artist best known for his paintings of emaciated religious figures.*
[149] **coup de grisou**   firedamp explosion (*explosion of gas in a coal mine*).

qu'aurait pu l'être madame Valiche dans un bal,[150] hop! au travail! Passez-moi les ciseaux. Mais non, ne déboutonnez pas. Coupez! coupez! c'est la princesse qui paie.[151] Pas vous, la princesse; l'autre.

Elle riait, à genoux auprès d'un débris.[152]   100
Le dégoût de madame de Bormes lui fit presque regretter son entreprise. Mais elle s'aperçut que le mot de madame Valiche portait,[153] que les jeunes majors la traitaient en collègue, et que c'était elle, la princesse, qui marquait mal.[154]   105
Elle chercha, des yeux, Guillaume. Guillaume se souciait peu de charité chrétienne. Fort de son nom,[155] il visitait le magasin et réquisitionnait des revolvers.

*I*ls repartirent le soir pour la ferme. Il pleuvait, et il faisait froid. Cette ferme était en rase campagne.[156] Sa cour, bossue au milieu, envoyait l'eau boueuse dans les étables. Ces étables abritaient une ambulance allemande, prisonnière. Il n'y avait que des blessés ennemis.   5
Les conciliabules se firent sous la pluie, à la lumière d'un falot que balançait le médecin-chef mal réveillé. Il ne demandait pas mieux que de voir, disait-il, partir cette vermine.
Le major allemand tenait une fourche et une lanterne. On ne distinguait pas les blessés dans l'ombre. Il fouillait 10 avec sa fourche. C'était son système de triage. Les plus à vif criaient le plus. Il remettait leur fiche au dentiste. On sortait alors ces malheureux de la fange, et on les portait dans la cour.

[150] **la princesse, aussi gauche . . . bal** *i.e.,* sous la tente des blessés, la princesse était aussi gauche que Madame Valiche aurait été gauche dans un bal élégant.
[151] **c'est la princesse qui paie** it's the government who's paying. *Cf. aux frais de la princesse* at the government's (or the company's) expense.
[152] **débris** a wreck of a man.
[153] **le mot de madame Valiche portait** Madame Valiche's witticism carried weight.
[154] **marquait mal** (*marquer mal* to give a bad impression).
[155] **Fort de son nom** Confident in the power of his name.
[156] **en rase campagne** in the open country.

L'un d'eux, couché sur une civière, était éclairé au 15
visage par un des phares. Il était jeune. Il vivait, les deux
mains arrachées. Il attrapait avec sa langue une petite chaîne
qu'il portait au cou, et il en prenait les médailles dans sa
bouche. Sans doute demandait-il un miracle: se réveiller dans
son lit, en Allemagne, et avoir ses mains. Le major lui ôtait 20
les médailles de la bouche en accrochant la chaîne avec une
des cornes de la fourche. Le mutilé laissait faire et recom-
mençait.

Lorsqu'on mit ce pauvre être debout, il eut un réflexe
terrible. Voulant saisir les tringles de cuivre de l'ambulance, 25
il dressa ses moignons. Les infirmiers le hissèrent, évanoui.

—Ouf! disait notre major au major prussien, vous con-
tent? fous gondent? prononçait-il pour l'aider à comprendre.
Mais le prisonnier se mordait les lèvres et donnait ses instructions par signes.   30

—C'est ennuyeux, dit à la princesse madame Valiche, en
rentrant ses mèches sous sa coiffe avec des mains dégoûtantes
—Bourriches pour le Val-de-Grâce. Nib pour le Jacob. C'est
partie remise.[157]

La princesse admirait presque cette femme.   35

—Mais, madame, lui demanda-t-elle, avec une naïveté
qui passait auprès des gens du monde pour de la noirceur,
quand il n'y a pas la guerre, que faites-vous?

—Moi? je monte à cheval au Bois[158] le matin. Harnais
blanc, parmes aux oreilles.[159] Ritz de cinq à sept. Je déclame. 40
Je prends des leçons avec Romuald.[160] Je déclame aux samedis
du Petit-Palais,[161] au club des aviateurs honoraires. N'allez
pas croire que je porte toujours la blouse. J'ai mon genre.[162]
J'aime les robes charmeuses, le bracelet de cheville, les bou-

[157] **Bourriches pour le Val-de-Grâce. . . . C'est partie remise** Basket-
fuls for the Val-de-Grâce (*hospital in Paris*). Nothing for the Jacob.
(*Dr. Verne's hospital*). We'll have to wait till next time. **Nib** *slang
for* nothing.
[158] **Bois** *Bois de Boulogne, wooded park in a fashionable section of
Paris.*
[159] **Parmes aux oreilles** ornaments in the ears.
[160] **Romuald** = professor of elocution.
[161] **Petit-Palais** *Building erected in Paris for the Exposition of 1900;
it is designed in the grand style and sumptuously furnished.* **Samedis**
Saturday meetings.
[162] **J'ai mon genre** I have my style.

quets de violettes un peu fanés et les chapeaux de feutre 45
avec des plumes Rembrandt.[163] Connaissez-vous La Fiancée du Timbalier?[164]

Madame de Bormes descendait en scaphandre au fond
des mers.[165] Madame Valiche lui ouvrait des labyrinthes.

—Ollé! Ollé! termina cette femme. Je retourne aux 50
boches.[166]

Elle pirouetta sur ses talons en esquissant un pas espa-
gnol.

—J'ai connu Gentil au bal des Cure-Dents,[167] savez-vous,
dit-elle, à la porte de l'étable, en prenant l'accent belge.[168] 55
—Il portait le costume boër[169] et moi j'étais en Carmen. Un
œil noir te regarde.[170]

Elle disparut.

La princesse de Bormes ne pouvait imaginer madame
Valiche ailleurs que sur des routes, la nuit, les mains dans 60
les poches de sa capote d'homme, ou, le jour, vidant des
vases.[171] Elle croyait avoir beaucoup voyagé, connu des gens
en masse, mais elle ne se rendait pas compte qu'elle emportait autour d'elle son atmosphère comme la terre, et, comme
la terre, elle avait peine à croire[172] les autres mondes habités. 65

Ce personnage d'un côté, tant d'horreur de l'autre,
étaient une dure épreuve. Car, quels que soient l'esprit, l'ex-
centricité, l'assurance d'une femme du monde, voire[173] blâ-

---

[163] **plumes Rembrandt** *Rembrandt (1606–1669), Dutch painter. Madame Valiche is referring loosely to portraits of a period when plumes adorned enormous hats.*

[164] **La Fiancée du Timbalier** *Famous poem by Victor Hugo, French romantic poet (1802–1885). In it he depicts a girl watching for her lover as the troops return from battle march in the streets. When the drummers pass and he is not among them, the girl falls dead.*

[165] **Madame de Bormes descendait en scaphandre au fond des mers** Madame de Bormes felt as though she were in a diving suit descending to the bottom of the seas.

[166] **boches** *Popular insulting name for the Germans.*

[167] **Cure-Dents** Tooth-Picks. *Gentil is a dentist.*

[168] **l'accent belge** *The French are fond of mocking the Belgian accent.*

[169] **boër** *a Dutch settler in South Africa.*

[170] **Un œil noir te regarde** *Line from an aria in* Carmen *by Georges Bizet, French composer (1838–1875).*

[171] **vases** = vases de nuit chamber pots.

[172] **elle avait peine à croire** she found it hard to believe.

[173] **voire** indeed, even.

mée par le monde, elle évolue tout de même sur une scène
d'amateurs, et le premier contact avec un vrai théâtre paralyse 70
l'aisance de ses mouvements.

La princesse devait se reprendre[174] vite. Elle n'était pas
femme à supporter un échec. Il ne fallait pas rester au milieu
de cette ferme comme un reproche. Il fallait rire de madame
Valiche et se mettre à la besogne.[175] En une minute sa dé- 75
cision fut prise. Elle brisa ses liens. Et, lorsque madame
Valiche sortit de l'étable en s'écriant: "J'ai un beau cul-de-
jatte!"[176] la princesse lui dit d'une voix claire: "Voulez-vous
que je vous aide à le transporter."

Au retour, dans l'automobile, Guillaume vida ses poches, 80
pleines de chargeurs allemands et de pattes d'épaulettes.[177]
Il montrait cette sinistre collection à madame de Bormes.

D'abord déçue, comme une débutante, par la puanteur
des coulisses, elle s'habituait peu à peu à cette puanteur.

Elle avait sommeil. Guillaume pas. Il lui installa des 85
coussins et s'endormit avant elle.

Sa tête pendait, sa langue dépassait ses lèvres entrou-
vertes. Sa main, qui reposait sur la poignée de la portière,
tomba lourdement. Il ressemblait aux blessés.

Madame de Bormes s'endormit à son tour.   90

*D*ix minutes d'arrêt, buffet![178] Tout le monde descend!

Madame Valiche ouvrait la portière.

—Où sommes-nous? demanda Clémence, le corps à
moitié sorti du songe.

Guillaume sauta de son rêve sur la route.   5

—Nous arrivons à M . . ., belle princesse, et nos blessés
crient que c'est un bonheur.[179]

En effet, dans la nuit froide, on entendait une plainte
étrangère, des imprécations, des coups contre des parois.

[174] **se reprendre**   to collect herself.
[175] **se mettre à la besogne**   to get to work.
[176] **J'ai un beau cul-de-jatte!**   I have a fine legless cripple!
[177] **chargeurs . . . épaulettes**   German cartridge clips and tabs of
epaulettes.
[178] **buffet**   refreshment counter (*as if they were on a train and stopping
at a station*).
[179] **c'est un bonheur**   it's a blessing.

—Ils souffrent, dit Clémence. La route est pleine de 10
trous.

—Ça ne vous empêchait pas de dormir. Et c'est pour
leur bien. On les mène au dodo.[180] Ils ne savent pas leur
veine.[181] Mais le chiendent n'est pas là.[182] Nous sommes en
panne.[183] Cinq véhicules sans essence!   15

C'était exact. Il n'y avait pas une minute à perdre. Il
fallait que la voiture de la princesse et celle de madame Valiche allassent chercher de l'essence. Or, renseignements pris,
l'évêque seul pouvait en permettre la réquisition. Il était six
heures du matin. Les plaintes des blessés décidèrent madame 20
de Bormes. On crut habile d'emmener le séminariste qui
n'avait pas trouvé trace de son frère. On le poussa dans la
voiture où somnolait Gentil, et on se rangea en face du perron
de l'évêque. La princesse sonna. Une vieille bonne vint
ouvrir. Un jeune prêtre la suivait. Madame de Bormes lui 25
exposa leur gêne. Le jeune prêtre qui boutonnait sa soutane,
s'apitoyait et priait la bonne de sortir du pain et des con-
fitures, pendant qu'il prévenait Monseigneur.

Monseigneur, toujours sur la brèche,[184] avait, entre ses
persiennes, reconnu des épaves de la cavalcade. Il s'habilla, 30
descendit quatre à quatre,[185] et, sans vouloir entendre un mot,
foudroya Clémence. Il était pâle de colère. Sa semonce portait sur leur passage, la veille. Lui *seul* délivrait des ordres
de convoi.[186] Il avait un contrôle *absolu* sur le travail du
Service de Santé. Il se souciait des fiches comme de sa pre- 35
mière culotte,[187] et il ne donnerait pas une goutte d'essence.

—Ah! s'écriait cet homme bon, mais aveuglé par Richelieu[188] et qui, de toutes façons, *voyait rouge,*—ah! vous me
passez sur le ventre.[189] Eh bien, soit. Débrouillez-vous.

[180] **dodo**   sleep, bed (*baby talk*).
[181] **veine**   luck (*familiar*).
[182] **le chiendent n'est pas là**   Cf. *voilà le chiendent*   there's the rub.
[183] **Nous sommes en panne**   We're stuck.
[184] **toujours sur la brèche**   always on the job.
[185] **quatre à quatre**   four steps at a time.
[186] **délivrait des ordres de convoi**   authorized convoys.
[187] **Il se souciait . . . première culotte**   He didn't care a hill of beans
about orders.
[188] **Richelieu**   *French cardinal (1585–1642), prime minister of Louis
XIII who, by his vigorous statesmanship, sought to establish absolute
monarchy in France.*
[189] **vous me passez sur le ventre**   you are acting over my head.

Venez, dit-il sèchement au jeune prêtre. Puis, laissant la 40
princesse, il traversa le vestibule et ouvrit la porte sur la rue.
Hélas, une apothéose l'attendait.

Pendant le chemin du retour, madame Valiche et Gentil
avaient vidé le fond des caisses.[190] La voiture empilait un
désordre et une saleté de wagon-restaurant. Ils étaient ivres 45
de Cordial-Médoc. Leur tendresse ne se dissimulait plus.
L'évêque, de son perron, vit ce couple vautré, les bouteilles,
le séminariste. Il eut un haut-le-corps.[191] Madame Valiche
ouvrait un œil de folle.

—Vite, mon chéri, vite, cria-t-elle au docteur, donne ta 50
bouche, voilà les curés!

Madame de Bormes, sortie à son tour, n'aperçut que le
dos de l'évêque. Il s'éloignait vers la cathédrale sous une
petite pluie fine. Il se retroussait, comme la veille, à pleines
mains.[192]   55

Ni madame Valiche, ni Gentil n'étaient en état de
comprendre ce que leur conduite avait d'infâme.

Pendue au cou de son amant, madame Valiche chantait
Manon.[193] Le séminariste sanglotait. Il y avait dans ce spectacle pluvieux quelque chose d'irréparable.   60

Guillaume sauva tout. Il était allé chez le maire, avait
nommé Fontenoy. Le maire, ravi qu'on reconnût son pouvoir et qu'on négligeât l'évêque, avait donné bidons sur
bidons.

On enleva le couple orgiaque. Il dormait. On remplit 65
les réservoirs, et le cortège de plaintes se remit en marche.

*S*ouvent, dans la suite, madame de Bormes, sur les routes
noires, en entendant ces plaintes, était prise de scrupules.

[190] **avaient vidé le fond des caisses**   had completely emptied the crates.
[191] **un haut-le-corps**   a start.
[192] **Il se retroussait, comme la veille, à pleines mains**   He was pulling
up his cassock with both hands as he had done the day before.
[193] **Manon**   *Opera by the French composer Jules Massenet (1842–1912).*

Elle se demandait si, pour se dépenser, elle n'achevait pas des moribonds.[194] Les routes, de plus en plus longues entre les lignes et la capitale, étaient défoncées par les tracteurs. Chaque secousse représentait pour ces hommes un enfer. Ne valait-il pas mieux les abandonner sur place malgré le manque de soins? Ils mourraient tranquilles.

Mais, lorsque ayant rempli l'ambulance de la rue Jacob, elle leur rendait visite soit à l'hôpital Buffon, soit aux Peupliers, soit au Val-de-Grâce,[195] elle comprenait que son plaisir n'était pas criminel.

Cette femme admirable, indiquant à elle seule aux chefs civils et militaires le sens d'une organisation qui ne se fit que longtemps après, se cherchait des excuses.

Sa fille sur pied,[196] madame de Bormes réintégra son appartement, avenue Montaigne. Elle faisait la navette[197] entre l'avenue et l'hôpital, quelquefois même partant directement de chez elle pour rejoindre le cortège aux portes de Paris.

Guillaume était l'enfant gâté de la maison. Il y avait une chambre, ce qui lui évitait de retourner chez sa tante, à Montmartre, après les randonnées trop lourdes. Du reste, sa tante était loin de son esprit. Guillaume lui apparaissait dix minutes par semaine, prétextant un poste d'agent de liaison.

Il disait: "J'ai une liaison,[198] ma liaison," comme jadis les mauvais sujets. Il remplissait sa chambre de pointes de casques[199] et de morceaux d'obus.

---

[194] **pour se dépenser, elle n'achevait pas des moribonds**   to give vent to her zeal, she was not finishing off the wounded.

[195] **Peupliers . . . Val-de-Grâce**   *Hospitals in Paris.*

[196] **Sa fille sur pied**   Once her daughter was on her feet again.

[197] **faisait la navette**   ran back and forth.

[198] **J'ai une liaison**   *Play on words:* **avoir une liaison** *means* to have an affair. *That explains in the next line:* **les mauvais sujets**   rascals.

[199] **pointes de casques**   helmet spikes. *In World War I the German army wore spiked helmets.*

Ce fut à Reims[200] que Clémence de Bormes et Guillaume eurent le baptême du feu. En y arrivant, des collines, on la voyait en bas, comme le bûcher de Jeanne d'Arc.[201] Sa fumée sombre s'étalait, plate, aussi loin que celle des paquebots sur la mer.   5

Dans la ville l'herbe poussait, des arbres sortaient par les fenêtres. Les immeubles ouverts en deux montraient le papier à fleurs des chambres. L'une avait encore sa commode, un cadre sur un mur. Le lit pendait au bord d'une autre.

La cathédrale était une montagne de vieilles dentelles. 10

Les médecins militaires, que le bombardement intense mettait dans l'incapacité d'agir, attendaient une accalmie dans la cave du Lion d'Or. Trois cents blessés remplissaient l'hospice et l'hôpital. Reims se trouvant, en cas de guerre, sous la protection d'une ville[202] qui ne s'en souciait pas, ne 15 pouvait ni évacuer, ni nourrir personne. Les blessés mouraient de leurs blessures, de la faim, de la soif, du tétanos, du tir. La veille, à l'hôpital, on venait d'apprendre à un artilleur qu'il fallait lui couper la jambe sans chloroforme, que c'était la seule chance de le sauver, et il fumait, blême, une dernière 20 cigarette avant le supplice, lorsqu'un obus réduisit le matériel chirurgical en poudre, et tua deux aides-majors. Personne n'osa reparaître devant l'artilleur. On dut laisser la gangrène l'envahir comme le lierre un statue.

Ces scènes se répétaient dix fois par jour. Chez les 25 Sœurs, on avait, pour cent cinquante blessés, une tasse de lait rance et une moitié de saucisson. Un prêtre, dans une longue salle trouée, administrait de paillasse en paillasse[203] et, pour

[200] **Reims**   *City on the Marne. Site of repeated attacks by the Germans. The city was laid waste and its thirteenth century cathedral partially destroyed.*

[201] **Jeanne d'Arc**   Joan of Arc (1412–1431). *The coronation of King Charles VII of France, brought about by Joan of Arc, took place in Reims. Because of this historical relation between them Cocteau compares the burning of Reims to the burning of Joan at the stake (at Rouen).*

[202] **sous la protection d'une ville**   *Though Paris was the actual seat of power, French kings were traditionally crowned at Reims; thus there existed a bond between the two cities.*

[203] **Un prêtre . . . de paillasse en paillasse**   In a long bombed-out hall a priest was administering extreme unction, going from pallet to pallet.

mettre l'hostie dans les bouches, desserrait les dents avec une lame de couteau.   30

Les services que pouvait rendre le convoi étaient minces, mais les majors chargeaient Gentil de fiches appelant au secours. On vivait sous la tonnelle de nos projectiles qui passaient avec un bruit d'express et des obus allemands ponctuant la fin de leur paraphe soyeux d'un pâté noir de foudre 35 et de mort.[204]

Le désarroi de cette ville était à son comble, ses nerfs à bout.[205] On ne voyait qu'espionnage, et on fusillait vite. La princesse, madame Valiche et Guillaume, rencontrèrent une patrouille qui menait bel et bien le peintre russe au mur.[206] 40 On l'avait trouvé, dessinant la cathédrale. Le nom magique le sauva et empêcha de lui adjoindre d'autres membres du cortège.

Cette atmosphère intenable vivifiait Clémence et Guillaume. Ils secondaient madame Valiche dont le zèle ne con- 45 naissait plus de bornes et qui émerveillait les deux ambulances.

Elle proposa d'emplir les voitures de blessés. On la laisserait à Réims avec le docteur, et on viendrait le lendemain prendre une nouvelle charge. La princesse et Guillaume 50 voulurent rester aussi.

—Ma voiture vide, dit Clémence, peut contenir deux hommes. Il m'est impossible de prendre leur place.

Ils couchèrent sous des couvertures, dans la cave du LION D'OR. La ville recevait les obus comme un navire les 55 vagues d'une tempête. Ils l'ébranlaient chaque fois jusqu'à l'âme.

Les pièces ennemies visaient le gazomètre.[207] Elles tournaient autour, tâtonnaient avec l'hésitation d'un aveugle qui cherche un bouton de porte. Ce danger achevait de mettre 60 les nerfs à vif.[208]

---

[204] **On vivait . . . et de mort**   They lived under the vault made both by our shells which passed with the noise of an express train and by the German shells which punctuated the end of their silky paraph (*a flourish following a signature*) with a black blot of thunder and death.
[205] **ses nerfs à bout**   its nerves at breaking point.
[206] **qui menait bel et bien le peintre russe au mur**   which was actually leading the Russian painter to the firing squad.
[207] **gazomètre**   *Tank for the storage of coal gas.*
[208] **Ce danger . . . à vif**   This danger finished off setting nerves on edge.

Guillaume admirait la bravoure de Clémence de Bormes, laquelle admirait la sienne. Or, la bravoure de Guillaume était de l'enfantillage et celle de la princesse de l'inconscience. Ils en eurent la preuve. La princesse avait sup- 65 porté le pire. Elle avait vu un cheval tourner l'angle d'une rue en boitant dans ses tripes. Elle avait vu un groupe d'artilleurs foudroyés à leur pièce.[209] Mais elle se croyait invulnérable.

Seule femme, ou presque, dans cette ville, elle imaginait 70 on ne sait quelle galanterie de la mort. Elle la coudoyait,[210] sans la craindre.

Mais, lorsque, allant de l'hôpital à l'hospice, elle vit, à cinquante mètres, une pauvre Rémoise et sa petite fille atteintes par le feu du ciel, comprenant soudain que les obus 75 n'épargnent point les femmes, elle fut prise d'une de ces peurs qui s'abattent sur les natures riches.[211] Elle se mit à crier, à courir en tous sens, à appeler Guillaume.

Guillaume qui, en furetant dans les décombres, venait d'être soufflé, roulé, et s'en tirait indemne avec un coup de 80 poutre au genou, arrivait en boitant. Il était vert.

Clémence se tordait les mains. Elle parlait de sa fille, s'accusait d'être une mère indigne, suppliait Guillaume de l'emmener à la minute.

C'était moins commode à réaliser qu'à dire. Les auto- 85 mobiles ne seraient de retour que le soir.

Le reste de la journée fut infernal. Madame Valiche soignait Clémence qui tremblait de tous ses membres.

Les voitures revinrent, sauf une. Celle de l'oisif. La bande[212] le surnommait: le parasite. Les Allemands 90 avaient pointé leur tir sur le convoi, fourmilière suspecte qui déambulait au flanc de la colline. Les obus cherchaient à prendre les voitures comme des pions. Enfin, un d'eux avait fait dame[213] sur celle de l'oisif, et il n'en restait pas trace.
                                                                    95
Il fallut attendre que l'obscurité cachât le départ.

La princesse refusait d'attendre. Comme le peintre russe

---

[209] **pièce** = pièce d'artillerie   gun.
[210] **coudoyait**   rubbed elbows with.
[211] **les natures riches** = les personnes qui ont une nature riche.
[212] **La bande**   The band, the gang (*the people of the convoy*).
[213] **avait fait dame**   had made king (*as in a game of checkers*).

tournait la mise en marche,[214] une marmite,[215] visant le gazomètre, tomba dans la maison derrière laquelle stationnait
l'automobile. Ils furent couverts de plâtre et les vitres volè- 100
rent en éclats.

C'est donc dans une voiture glorieuse mais inconfortable
que Clémence et Guillaume s'éloignaient de Reims, sans
craindre les zigzags du Russe.

L'air vif les fouettait et ranimait la princesse.   105

Alors Guillaume entendit cette femme incorrigible mur-
murer: —Retournons, retournons; c'est ridicule d'avoir eu
peur.

[214] **la mise en marche**   the crank.
[215] **une marmite**   a heavy shell.

Il y a des gens qui possèdent tout et ne peuvent le faire croire, des riches si pauvres et des nobles si vulgaires, que l'incrédulité qu'ils suscitent finit par les rendre timides et leur donne une attitude suspecte. Sur certaines femmes les plus belles perles deviennent fausses. En revanche, sur 5 d'autres, les perles fausses paraissent véritables. De même, il existe des hommes qui inspirent une confiance aveugle et jouissent de privilèges auxquels ils ne peuvent prétendre. Guillaume Thomas était de cette race bienheureuse.

On le croyait. Il n'avait aucune précaution à prendre, 10 aucun calcul à faire. Une étoile de mensonge le menait[216] droit au but. Aussi n'avait-il jamais le visage préoccupé, traqué, du fourbe. Ne sachant ni nager, ni patiner, il pouvait dire: Je patine et je nage. Chacun l'avait vu sur la glace et dans l'eau. 15

Une fée spéciale jette ce sort à la naissance. Certains réussissent, au berceau desquels aucune fée n'était venue, sauf celle-là.

Il n'arrivait jamais à Guillaume de faire son examen,[217] de penser: "Comment en sortirai-je?" ou: "Je triche," ou: 20 "Je suis un misérable," ou: "Je suis un habile homme." Il allait, mêlé à sa fable, étroitement.

Plus il vivait son rôle, plus il s'y incorporait, plus il y apportait de feu et cette franchise qui persuade.

*D*epuis quelque temps, il possédait un jouet nouveau: raconter la mort de ses cousins sous les yeux de leur père. Son récit absurde était dessiné naïvement et colorié comme une image d'Épinal.[218]

[216] **Une étoile de mensonge le menait** *Reference to the star of Bethlehem.*
[217] **faire son examen** = faire son examen de conscience *to examine one's conscience.*
[218] **image d'Épinal** *Very popular quaint pictures manufactured in the town of Épinal and characterized by their bright and simple colors.*

A l'exemple de ces images, sa synthèse frappait et sem- 5
blait plus réelle que la réalité. Il touchait en ses auditeurs
ce qui reste en chacun de nous d'enfantin. Parfois, il rehaus-
sait l'image d'un peu d'or. Il s'y prenait lui-même.[219] Ses yeux
se remplissaient de larmes. On ne pouvait l'entendre sans
s'émouvoir.   10

N'ayant jamais à observer la prudence qui perd les co-
quins, il racontait cet épisode héroïque, chez la princesse, à
table, devant des hommes rompus à l'exercice.[220] Il roulait
civils et militaires, tant il est vrai que, même fausse, la vérité
sort de la bouche des enfants.   15

Paris se repeuplait. Un à un revenaient ceux qui l'a-
vaient déserté à toutes jambes.[221] Chacun s'excusait de ce
départ auprès de ceux, fort rares, qui n'étaient pas partis.
Les uns prétextaient leur service, d'autres leur petite fille,
d'autres leur vieille mère, d'autres leur importante personne 20
que les Allemands eussent prise comme otage, d'autres le
devoir national.

Pesquel-Duport, directeur du *Jour,* que ses intimes ap-
pelaient *Le directeur,* un des dix du cercle de la princesse
de Bormes, essayait de lui prouver qu'elle avait eu tort, bien 25
que les circonstances lui donnassent raison, que la destinée
avait, pour une fois, été aussi folle et aussi aimable qu'elle,
et que Klück avait beau n'être point entré à Paris,[222] il y
était entré tout de même, en principe.

En principe. C'est justement parce que Clémence man- 30
quait de principes qu'elle était extra-lucide, et c'est aussi par
son manque de principes que la construction de notre succès[223] échappait au bon sens.

D'habitude, les intimes qui reviennent dans une de-

[219] **Il s'y prenait lui-même**   He fell for it himself.
[220] **des hommes rompus à l'exercice**   men who knew the ropes.
[221] **à toutes jambes**   as fast as their legs could carry them.
[222] **Klück avait beau n'être point entré à Paris**   although Klück had not in fact entered Paris. *Alexander von Klück, general who led the German army at the first battle of the Marne.*
[223] **notre succès**   *France's victory in September 1914 (la victoire de la Marne).*

meure détestent y trouver une figure neuve. Mais Guillaume 35
fit exception à la règle.

—J'ai beaucoup connu monsieur votre père à la Chambre,[224] lui dit Pesquel-Duport.

Enfant gâté il était, enfant gâté il resta. Gâté d'un plus grand nombre. 40

Il avait dit à Clémence qu'il souffrait de son genou à cause d'un éclat de l'obus qui avait fracassé la cuisse du général d'Ancourt. Cet éclat devint une action d'éclat. Son héroïsme lui valait place d'homme, et son image d'Épinal lui ouvrait les cœurs. 45

Car, non par ruse, mais par amour-propre, il n'avait jamais laissé voir la surprise de ses premiers voyages aux lignes.

D'ailleurs, Reims était un récit de la princesse. Il le lui laissait. La vérité lui donnait les malaises du mensonge. 50
Reims ne l'intéressait pas, le dérangeait plutôt.

*L*e meilleur public de Guillaume était la fille de madame de Bormes, Henriette. N'avons-nous pas dit qu'elle était de race spectatrice. Jusqu'alors un seul personnage, sa mère, brûlait les planches.[225] Maintenant, elle en contemplait deux. Élevée sans la moindre superstition des castes, des titres, des 5 richesses, Henriette avait toujours vu sa mère juger les hommes d'après leur mérite, et mettre des artistes sur le même rang que des souverains. Mais elle était fort jeune, sortait peu, et avait rarement l'occasion de rencontrer des hommes exceptionnels. 10

Grâce à la guerre qui favorise les rencontres d'accident de chemin de fer,[226] non seulement elle voyait un de ces hommes, mais il avait son âge, et ils vivaient côte à côte.

Inutile de consigner l'effet, sur cette âme naïve, des récits qui amollissaient la vieille classe.[227] 15

[224] **J'ai beaucoup connu monsieur votre père à la Chambre** I saw a lot of your father in the Chamber of Deputies (**Chambre** = Chambre des Députés).
[225] **brûlait les planches** acted with fire.
[226] **rencontres d'accident de chemin de fer** chance meetings on railroad trains.
[227] **la vieille classe** the veterans.

Elle aimait Guillaume. Elle le confondait avec sa mère dans ses pensées, et, comme sa mère le traitait en fils, elle ne voyait à cette confusion rien de coupable.

La princesse, nous l'avons dit, perçait les murailles; elle ne lisait pas dessus.²²⁸ Elle ne s'apercevait aucunement de ce 20 merveilleux mécanisme: une rose qui s'ouvre. Guillaume non plus. Mais la jeunesse a ses maladies contagieuses.

Guillaume, l'artificiel, était sans artifice. Son cœur intact comprenait, lui, à des profondeurs où son esprit enfantin ne pouvait descendre. 25

Guillaume apprenait gloutonnement la vie, depuis qu'il avait mis le pied dans la cour de l'hôpital. Il datait de cette cour. Sans se féliciter le moins du monde de sa chance, il s'enrichissait, se développait, profitait chaque jour davantage.

Tout homme porte sur l'épaule gauche un singe et, sur 30 l'épaule droite, un perroquet. Sans que Guillaume s'y employât, son perroquet répétait le langage d'un monde privilégié, son singe en imitait les gestes. Aussi ne courait-il pas le risque des gens excentriques, une semaine adoptés et rejetés par le monde. Il y creusait sa place et paraissait, son 35 nom l'accréditant, y avoir grandi toujours.²²⁹

Un seul intime voyait Guillaume d'un assez mauvais œil. C'était le directeur.

Il était amoureux fou, depuis cinq ans, de la princesse de Bormes. Le génie de ce journaliste n'était qu'une longue 40 patience. Il avait voulu *Le Jour:* il l'avait. Il avait voulu devenir riche; il l'était. Il voulait épouser cette veuve, encore jeune, et dont les lumières éclatantes, éteintes par le milieu mondain, aideraient son œuvre et scintilleraient dans le monde intellectuel. 45

Pesquel-Duport croyait au monde intellectuel. Il était de l'époque des salons.²³⁰ Il en souhaitait un. Il ignorait que le palmarès officiel ne porte que les comédiens et les fan-

---

²²⁸ **perçait les murailles; elle ne lisait pas dessus** saw through walls; she did not read what was written on them. *The reference is to the Biblical story of the handwriting on the wall* (Daniel 5).
²²⁹ **Il y creusait sa place . . . grandi toujours** He carved out his place in society and, his name testifying to his good standing, he appeared to have been born and raised there.
²³⁰ **l'époque des salons** *This is a reference to the prewar years when the salon was an important social and cultural phenomenon; in the remainder of the paragraph Cocteau describes a salon.*

toches de l'art, et que ses ouvriers restent dans l'ombre. Il se
rêvait une table chargée de fleurs, de cristaux; les femmes 50
les plus élégantes, les hommes les plus illustres autour, et
Clémence au milieu, en face de lui.

La princesse répondait à ses prières: —Mon cher directeur, attendez. Attendons. Je mentirais en disant que je vous
aime d'amour. Du reste, ni vous ni personne. Mais vous êtes, 55
certainement, de tous mes hommes, celui qui me déplaît le
moins.

Elle était sincère. Elle ne trouvait pas laide cette figure.
Pesquel-Duport avait cinquante-trois ans et une chevelure
toute blanche.   60

Il se jugeait de première force.[231] Il l'était dans le monde
de la lutte, mais il était naïf pour l'esprit de finesse[232] profonde, si rare dans les hautes places parce que cet esprit
empêche de choisir.

Un homme vraiment profond s'enfonce, il ne monte 65
pas.[233] Longtemps après sa mort, on découvre sa colonne en-
fouie, d'un seul bloc ou, peu à peu, par morceaux. Tandis
que ces grandes intelligences médiocres, faites de coup
d'œil[234] et d'ironie, montent sans encombre jusqu'à la petite
corniche du pouvoir.   70

C'est la naïveté de cet ambitieux que goûtait Clémence.
Car si elle n'était pas un cerveau profond, du moins possé-
dait-elle, comme certains insectes, une trompe qu'elle envoyait, sans méthode, mais profondément, au cœur des choses.

Ainsi cette folle portait-elle les verdicts de Tirésias.[235]   75

Pesquel-Duport constatait cette faculté sans la comprendre et se trouvait fort aise de suivre ses conseils. Mais
où il tombait juste,[236] ce que son coup d'œil lui permettait

[231] **de première force**   first rate.

[232] **l'esprit de finesse**   *Reference is made here to the distinction between "esprit de géométrie" (logic) and "esprit de finesse" (intuition)
made by Blaise Pascal (1632–1662), French philosopher and scientific
genius.*

[233] **Un homme vraiment . . . ne monte pas**   A truly profound man
sinks in, he does not rise.

[234] **coup d'œil**   glance. *Here it means sure-sightedness.*

[235] **Tirésias**   *Soothsayer of Greek mythology who revealed to Oedipus
the crimes the latter had unwittingly committed. Madame de Bormes'
pronouncements were proven true, as if she were a soothsayer like
Tiresias.*

[236] **il tombait juste**   he guessed rightly.

de saisir, c'est que les femmes très intelligentes possèdent
d'habitude une intelligence masculine qui les désaxe et per- 80
turbe leur individu, tandis que la princesse restait la femme
type, et ne devait ses ressources qu'à son propre sexe.

Il la voyait nue et primitive, une Ève mangeant la
pomme qui lui plaît et quittant, contente, le Paradis, maison
tout arrangée. 85

Pesquel-Duport savait la princesse de mœurs irrépro-
chables. Cette certitude ne l'empêchait pas d'être jaloux.

Le commerce de Chérubin avec la Comtesse, de Jean-
Jacques avec Madame de Warens, de Fabrice avec la Sansévérina,[237] lui gâtait les rapports entre Clémence et Guillaume. 90
Il croyait Guillaume amoureux de sa protectrice et la protectrice flattée.[238]

Là, son coup d'œil le trompait. Guillaume, éveillé par
madame de Bormes, sorti par elle de l'enfance, reportait ces
trésors sur Henriette. La princesse l'étourdissait un peu. 95
Chez Henriette, il la retrouvait, mais de plain-pied.[239]

De temps en temps, cet acteur exquis descendait dans
l'ombre de la salle s'asseoir auprès d'Henriette et applaudir
sa mère. Aussi Henriette ressemblait-elle à ces épouses qui
reçoivent, après le spectacle, des marques de tendresse que 100
leur mari destine à la danseuse étoile.

Guillaume embellissait cette petite fille des séductions
de la princesse, et, comme elle était séduisante, il n'avait
aucun effort.

La princesse de Bormes rouvrait et redécorait son 105
appartement, laissé en friche[240] à cause de la guerre. Elle
ne dosait pas ses plaisirs. Celui de maîtresse de maison
nuisait à ceux de l'héroïsme. Elle ne suivait plus régulière-
ment le convoi, se contentant de prêter l'automobile.
Elle peignait, frottait, vernissait et achetait. Guillaume 110

---

[237] **Chérubin . . . la Sansévérina**   *Cherubin is an adolescent awakening
to love in* Le Mariage de Figaro, *a play by Beaumarchais (1732–1799).
Jean-Jacques = Jean-Jacques Rousseau (1712–1778), French writer who,
as a young man, fell in love with Madame de Warens. Fabrice is the
youngish hero of* La Chartreuse de Parme, *a novel by Stendhal (1783–
1842). Note that the Comtesse, Madame de Warens, and la Sansévérina
are all mature women.*

[238] **et la protectrice flattée**   *et il croyait que la protectrice en était
flattée.*

[239] **de plain-pied**   *on his own level.*

[240] **laissé en friche**   *left to lie fallow, i.e., neglected.*

dînait presque chaque jour avenue Montaigne, en dehors des
voyages.

Ces voyages devenaient beaucoup moins simples. Les
services s'organisaient, et rien ne semble, en France, plus
louche que de n'être sur aucun registre. 115

Au troisième bureau,[241] il arrivait qu'on accueillît fort
mal les quelques officiers évadés après d'affreux périls. *Ils
n' étaient plus sur les registres.*

Ce convoi fantôme agaçait, mais expérimentait gratuitement. On ne le supprimait donc pas; on mettait des bâtons 120
dans ses roues.[242]

Guillaume continuait d'ôter ces bâtons. L'hôpital s'ac-
crochait à lui comme à une bouée.

On suivait les phases de la lente agonie du général d'Ancourt. On redoutait une fin qui, sans nul doute, rendrait son 125
pseudo-secrétaire aux cadres.[243]

*U*n soir, à six heures, on attendait Guillaume auquel, maintenant, la Place[244] confiait le mot d'ordre.

Guillaume avait bu punch sur punch avec des cyclistes
des Invalides. Il était ivre. Il chantait à tue-tête ce mot que la
France cache dans son corsage, mourant plutôt que de se le 5
laisser prendre.

Un vieil infirmier bénévole, le comte d'Oronge, outré,
empoigna Guillaume au collet et le secoua. Guillaume, se
débattant, traita ce vieillard d'imbécile. La cour formait le
cercle, et personne n'osait donner tort au neveu du général.[245] 10

Enfin, après que le comte d'Oronge, blême de rage, eut
envoyé Guillaume rouler à terre, Guillaume se releva, me-
naça Verne et sortit en criant qu'on aurait de ses nouvelles.[246]

[241] **Au troisième bureau** *The French general staff is divided into four
bureaus; the so-called third bureau is in charge of military schools and,
in wartime, of military operations.*
[242] **on mettait des bâtons dans ses roues** they put spokes in its wheels,
i.e., they meddled in its operation.
[243] **cadres** the ranks.
[244] **la Place** *The military authorities in charge of a fortified city.*
[245] **La cour formait le cercle . . . neveu du général** The people in the
courtyard formed a circle, and no one dared say that the general's
nephew was in the wrong.
[246] **on aurait de ses nouvelles** they would be hearing from him.

On essaya de calmer le comte qui répétait comme une mécanique: Galopin! Galopin! et, dans le trouble, personne 15 n'ayant retenu le mot fatal, le convoi ne put se mettre en route.

Le docteur, après huit heures, téléphona chez la princesse. Elle attendait Guillaume pour dîner; il n'était pas là. Ce téléphone[247] mit la princesse et Henriette aux cent 20 coups.[248] Elles croyaient Guillaume rue Jacob et le virent sous un autobus. A neuf heures, elles téléphonèrent à Verne. Il ne souffla mot de la scène et se contenta de dire[249] que Guillaume était venu et reparti.

Pesquel-Duport, qui dînait, les plaisanta doucement; 25 puis, resté seul avec Clémence, lui reprocha de se mettre à l'envers[250] pour un collégien. Qui était-il au juste? D'où venait-il? D'où sortait-il?

—Comment, s'écria-t-elle, vous savez, je suppose, le nom qu'il porte. 30

—Qui, continuait le directeur, vous prouve qu'il le porte?

Madame de Bormes, interloquée, se dit, pour la première fois, qu'elle ne possédait sur Guillaume aucun renseignement exact. Mais, outre que sa réussite tenait lieu de 35 papiers,[251] elle ne voulut pas avoir l'air en faute.

—Je sais sur son compte, dit-elle, ce que je dois savoir. Et elle ajouta, transformant, sur place, une inquiétude qui la prenait en moyen de se justifier:

—Croyez-vous, directeur, que je laisserais n'importe qui 40 auprès d'Henriette?

Or, pendant que ce dialogue se déroulait avenue Montaigne, Guillaume, gris comme un potache,[252] se livra certes à un des actes les plus incompréhensibles de sa carrière.

L'alcool soulevant un fragile couvercle de réalité, il 45 courut se plaindre chez sa tante.

La pauvre dévote n'entendait rien à ses plaintes. Elle y

[247] **téléphone** = coup de téléphone   telephone call.
[248] **mit la princesse et Henriette aux cent coups**   drove the princess and Henriette to distraction.
[249] **Il . . . se contenta de dire**   He . . . merely said.
[250] **se mettre à l'envers**   to turn one's self inside out.
[251] **outre que sa réussite tenait lieu de papiers**   besides the fact that his success took the place of papers.
[252] **gris comme un potache**   high as a schoolboy on his first binge.

démêla qu'on le torturait, qu'on insultait son galon dans un
hôpital civil, et que Guillaume la suppliait d'ordonner qu'on
le respectât. 50

Elle prenait ses larmes d'ivrogne pour des larmes de
honte, embrouillait l'école de tir, le service de liaison et
l'hôpital. Bref, en face d'un tel désespoir, elle promit de se
rendre rue Jacob et de parler à Verne. Guillaume s'enferma
dans sa chambre et, sans se déshabiller, s'endormit comme 55
une brute.

Le lendemain matin il dormait encore quand sa tante
descendit rue Jacob.

Au bout d'un quart d'heure qu'elle se trouvait assise
dans le cabinet-loge,253 Verne comprit la vraie catastrophe 60
que Guillaume Thomas était Thomas tout court254 et qu'il
avait seize ans.

Sa croix tournait devant ses yeux comme les artichauts
des feux d'artifice.255

En entendant le docteur parler de sa famille, des Fon- 65
tenoy, du général de Fontenoy, du neveu du général de Fontenoy, la pauvre vieille fille s'était écriée: —Mais il y a erreur.
Erreur complète. Guillaume est natif de Fontenoy, c'est
tout. Ce n'est pas son nom. Comment a-t-il pu? Oh! oh! et
elle eut une crise. 70

Verne fit un rapide calcul. Il rassembla ses forces. Il
importait que Guillaume restât ce qu'il était, ou plutôt, ce
qu'il n'était point.

Verne tenait les mains de la vieille fille et lui versait un
fluide torrentiel.256 Peu s'en fallait qu'il ne s'écriât,257 en tra- 75
vestissant la phrase des magnétiseurs:

—Vous êtes Fontenoy, je le veux.

Elle reprenait ses sens.

—Du calme, du calme, lui dit Verne. Buvez un peu
d'eau. Là, là. Ne grondez pas Guillaume. Il porte un trop
beau nom pour qu'on le gronde. 80

253 cabinet-loge Cf. p. 12, son cabinet, ancienne loge de concierge.
254 Thomas tout court just plain Thomas.
255 Sa croix tournait . . . feux d'artifice His military cross was spin-
ning before his eyes like the whirling rockets of fireworks displays.
256 un fluide torrentiel (literally) a torrential fluid. This obviously
refers to the hypnotist's practice of suggestion.
257 Peu s'en fallait qu'il ne s'écriât He very nearly shouted.

Et, comme la vieille fille se récriait:

—Tu, tu, tu,[258] fit le docteur. . . . Je ne veux rien entendre. Je sais, je sais. Vous êtes trop modeste.

Ce mot énorme acheva la dévote. Le docteur la fixait d'un œil terrible et la poussait vers la porte. 85

—Et surtout, lui dit-il, presque à l'oreille, pas un mot de notre conversation à votre neveu. Des choses considérables en dépendent. Jurez-le. Jurez-le sur votre livre de messe, s'écria-t-il, en le saisissant, qui dépassait d'un réticule. 90

La malheureuse jura. Elle se croyait chez un fou. Elle se trompait à peine. Le docteur était fou d'inquiétude.

Il l'accompagna jusqu'à la voûte, de peur qu'elle ne fît quelque rencontre. Il tombait juste. Ils croisèrent la princesse qui entrait. 95

Verne regarda la vieille fille tourner le coin de la rue. Madame de Bormes attendait dans la cour.

—Tiens! s'écria-t-il, que je suis bête. Vous ne connaissez pas cette excellente personne?

Et, comme la princesse prenait un regard vague. 100

—C'est la tante de Guillaume, mademoiselle de Fontenoy.

Aucune phrase ne pouvait être plus précieuse à madame de Bormes. Elle se félicita de ses réponses aux insinuations du directeur. 105

—Les journalistes, pensa-t-elle, se nourrissent de faits-divers.[259]

*T*homas se réveilla chez sa tante avec la migraine et sans le moindre souvenir des folies de la veille. Il ne se rappelait que le punch et la fatigue l'empêchant de se déshabiller. Il fit sa toilette, descendit la Butte,[260] et se rendit à l'hôpital.

---

[258] **Tu, tu, tu**   Hush, hush, hush.
[259] **se nourrissent de faits-divers**   thrive on the miscellaneous (*news items*).
[260] **la Butte**   *La Butte Montmartre, the hill of Montmartre in Paris.*

La princesse était assise chez Verne. Il venait de lui ra- 5
conter la scène du mot de passe, en arrondissant les angles.[261]
—"Guillaume est un peu vif. . . . Monsieur d'Oronge est un
peu sourd. Guillaume m'avait dépêché sa tante[262] sous prétexte de se battre en duel avec moi."

Il riait. Il essayait de mettre une bonhomie de grand- 10
père sur sa grosse figure de requin.

—Guillaume! voilà Guillaume!

Madame de Bormes poussa un cri. On le voyait entre
des véhicules, derrière la porte vitrée.

—Qu'il entre, s'écria le docteur, en ouvrant cette porte. 15
Qu'il entre, notre enfant prodigue.

La haine et le respect se partageaient l'âme du docteur.
Il haïssait Guillaume de l'avoir joué,[263] mais il respectait le
coup de main.[264] C'était à lui de partager les chances.[265] Il
tenait le filou et pourrait l'utiliser sans courir de risques. Il 20
serait couvert par la princesse.

Cet homme que les titres grisaient pensa qu'on aurait
mauvaise grâce à chicaner sur un titre avec la princesse de
Bormes et que sa puissance mondaine devait être assez grande
pour baptiser une poularde: carpe, un Thomas: Fontenoy, 25
si jamais elle se trouvait compromise. Incapable de déchiffrer
l'hiéroglyphe d'une pareille femme, il l'accusait du pire et ne
balançait pas à en faire la maîtresse du jeune tricheur.

La princesse grondait Guillaume du faux bond de la
veille.[266] Il raconta le punch.   30

Au nom de M. d'Oronge, tout lui sauta dans la mémoire,
à pieds joints.[267]

—Par votre faute, dit Verne, le convoi est en panne, et
les blessés attendent. Les voitures devaient partir à minuit.
Elles sont encore dans la cour. A propos, ajouta-t-il légère- 35
ment, j'ai reçu la visite de votre tante. Une personne bien
pieuse, comme le général.

---

[261] **en arrondissant les angles**   rounding off the sharp edges.
[262] **m'avait dépêché sa tante**   had sent his aunt to me.
[263] **de l'avoir joué**   for having taken him in.
[264] **le coup de main**   the maneuver.
[265] **partager les chances**   to share the odds.
[266] **du faux bond de la veille**   for failing to turn up the day before.
[267] **tout lui sauta dans la mémoire, à pieds joints**   everything came bounding into his memory.

Il observa Guillaume en dessous. Guillaume trouva cette remarque toute simple.

—Diable, pensa Verne, le mâtin![268] Il est fort. Il ira loin. 40
Il ira loin, si on ne l'arrête pas en route. Employons-nous à ce qu'on l'arrête trop tard.

—Pourquoi, demanda Clémence, est-ce que je ne connais pas votre tante?

—C'est une sainte, dit Guillaume; elle ne bouge pas de 45
chez elle, sauf pour aller au Sacré-Cœur.[269] Ce matin, elle a dû venir parce qu'elle descendait à Saint-François-Xavier où elle brûle des cierges.

Le docteur dodelinait du chef, applaudissait à part soi, comme fait au tribunal un coupable, d'un complice qui ne 50
se coupe jamais.[270] Son parti était pris.[271] On ne le volait plus. Il jouait de moitié avec Guillaume.

Or, de même qu'il y a les gens qu'on croit et ceux dont on doute, il y a les gens qui gagnent et ceux qui perdent. Le docteur perdait. 55

Pour Guillaume, le convoi, l'ambulance, Verne, madame Valiche, le dentiste, la femme du radiographe, c'est une boîte vide. Reste le contenu: la princesse et Henriette.

Nous devrions écrire: Henriette et la princesse, car, depuis quelque temps, Guillaume s'ennuyait, premiers troubles 60
de l'amour qui, prudemment, avant de paraître dans sa splendeur, commence par enlaidir, dégonfler, décolorer tout. Guillaume s'efflanquait; il traînait, écartelé par[272] la croissance du corps, son rôle, sa vérité, le malaise d'un épanouissement normal sous des couches de mensonge. 65

L'habitude de ne pas s'analyser et la rêvasserie active de

---

[268] **le mâtin**　the scoundrel.

[269] **Sacré-Cœur**　*The basilica of Sacré-Cœur located on top of the Butte Montmartre. The church of Saint-François-Xavier is in another part of Paris.*

[270] **Le docteur dodelinait . . . ne se coupe jamais**　The doctor wagged his head and applauded to himself as a guilty party in court applauds an accomplice who never contradicts himself.

[271] **Son parti était pris**　His mind was made up.

[272] **il traînait, écartelé par**　he was dragging along, torn by. *Since* écartelé *means literally "quartered," Cocteau shows us Guillaume torn by four forces:* **la croissance . . . son rôle . . . sa vérité . . . le malaise.**

Guillaume ne l'aidaient pas à voir clair. A force d'entretenir du chien-et-loup,[273] il s'encombrait de ténèbre. Au lieu de se dire qu'il aimait Henriette, ce qui sortait de son jeu, il s'hypnotisait sur ce jeu et attribuait son malaise à l'inaction, au manque d'aventures. 70

Le général d'Ancourt mourut. Guillaume sauta sur ce prétexte pour disparaître de l'hôpital. Verne faillit crever de rage. Mais que pouvait-il?

Guillaume, sans rien dire aux deux femmes, alla voir 75 Pesquel-Duport au journal. Il inventa que la mort du général d'Ancourt le libérait, qu'on le réformait à cause de sa jambe et de son état nerveux, que c'est grâce à son oncle qu'il avait pu suivre le général, qu'on refusait de le prendre, croyant plaire à Fontenoy déjà accablé de deuils. Il languissait à 80 l'arrière[274] et suppliait le directeur de l'envoyer dans une des cantines que le journal entretenait sur le front. Par exemple,[275] il ne faudrait pas raconter sa démarche, avenue Montaigne. Il prétendrait avoir reçu l'ordre.

Pesquel-Duport faillit lui sauter au cou. Rien ne l'ar- 85 rangeait mieux que d'éloigner Guillaume. Il cacha cette satisfaction, le rabroua, en le félicitant de son courage, et lui dit que, contre promesse d'un silence absolu chez madame de Bormes, il l'enrôlerait dans la cantine de Coxyde, au front belge. 90

Le front belge, c'étaient les Belges, les zouaves,[276] les tirailleurs, les Anglais, les fusiliers marins. Un vaste champ d'entreprise. Guillaume rayonnait.

L'exubérance fut courte. Il se sentait, de nouveau, tout triste sans savoir pourquoi. Il n'osait lever sur Henriette et 95 sur sa mère ses yeux en larmes. Madame de Bormes le croyait très atteint par la mort de son chef. L'amour faisait d'Henriette un Stradivarius,[277] un baromètre sensible aux moindres

[273] **A force d'entretenir du chien-et-loup**   By sheer maintaining of this half-light (**chien et loup**   twilight).
[274] **à l'arrière**   behind the lines.
[275] **Par exemple**   *Used for emphasis (colloquial).*
[276] **les zouaves**   *Infantrymen of a regiment founded in Algeria in 1831, distinctive for its colorful uniform.*
[277] **un Stradivarius**   *Violins made in Italy in the seventeenth century by Antonio Stradivarius are among the most highly prized and sensitive stringed instruments.*

températures morales. Elle déchiffrait seule à livre ouvert,[278] ce que sa mère croyait du regret et Guillaume un ennui mêlé 100 de remords.

Ce remords ne portait pas sur une indélicatesse qui n'en était plus une à ses propres yeux, mais sur le fait d'avoir prié le directeur en cachette de le séparer des deux femmes. Du moins ce motif commode lui servait-il à s'expliquer son état.105

C'est donc tête basse qu'il apprit son affectation à madame de Bormes et à sa fille. Le coup fut amorti par le privilège du poste (un poste d'infirme, expliquait Guillaume) et la coïncidence qui l'attachait à une œuvre dont Pesquel-Duport tenait les fils.   110

Mais la princesse savait par affinité qu'un poste de tout repos[279] ne le resterait pas pour Guillaume.

—Pourvu, gémissait-elle, que vous ne fassiez pas le fou. Je vais prévenir le directeur qu'il donne des ordres et qu'on vous surveille.   115

La semaine du départ, si courte, n'en finissait pas.[280] Guillaume qui croyait s'ennuyer et se sauver sur sa chimère, préparait entre ces femmes et lui le lien d'absence qui se renforce à mesure qu'il s'allonge et renverse les perspectives, puisque nous voyons ceux qui s'éloignent grandir 120 démesurément.

La nuit, Henriette ne dormait plus. Elle se disait: Il m'aime. Il croit que je ne l'aime pas; ou bien: il redoute maman. Il se sauve et il souffre. Elle épelait sans aide l'abécédaire de l'amour. Il ne fallait rien de moins que[281] l'in- 125 quiétude de la princesse, ses échelles et ses pots de laque, pour lui masquer les yeux rouges de sa fille.

Après le départ de Guillaume, départ tragi-comique à cause des pleurs et des cadeaux, Henriette tomba malade.

—Henriette me ressemble, dit Clémence à Pesquel-Du- 130 port; jusqu'ici, elle tenait de son père un équilibre insupportable. Mais depuis quelque temps, je la trouve excessive, comme moi. Cette métamorphose nous rapproche. Le départ de Guillaume la rend malade. Je suis contente.

---

[278] **Elle déchiffrait seule à livre ouvert**   By herself she was interpreting at sight.
[279] **de tout repos**   absolutely safe.
[280] **n'en finissait pas**   seemed endless.
[281] **Il ne fallait rien de moins que**   It took nothing less than.

L'amour de cette jeune fille crevait les yeux.[282] Pesquel- 135
Duport, dès qu'il s'en aperçut, ajouta ce lest à celui que jetait
l'éloignement de Guillaume.

Hélas! Clémence, elle, la voyante aveugle, ne voyait pas
que, comme dans un lied d'Henri Heine,[283] sa fille était
amoureuse d'un fantôme.   140

*L*a cantine du journal *Le Jour* campait sur la route entre
Nieuport-ville et Coxyde-ville. Elle ravitaillait et ravigotait
les troupes de relève. Elle se composait d'une roulotte fu-
mante d'alchimiste où se relayaient les neuf volontaires et
versait au bord de la route des litres de café noir ou de   5
punch. Ces volontaires, assimilés au grade de sous-lieutenant,[284] surveillés par un sous-lieutenant véritable, lo-
geaient à Coxyde-ville dans une bicoque de crime.[285] Toutes
ces bicoques ressemblaient à des maisons du crime, surtout
celles de Coxyde-bains, mi-détruites, anciennes villégiatures 10
des baigneurs belges[286] le long de la mer du Nord.

Nieuport-ville, Nieuport-bains, Coxyde-bains, Coxyde-
ville, reliaient, à vol d'oiseau,[287] un cadre distordu de routes.

Entre Coxyde-bains et Nieuport-bains, c'était la dune.
Des champs, des fermes, et un bois surnommé: Bois triangu- 15
laire, entre Coxyde et Nieuport-ville. L'ensemble, vide et
peuplé en cachette.[288]

[282] **L'amour de cette jeune fille crevait les yeux** The love of this
young girl was written all over her face. Cf. *ça vous crève les yeux* it's
staring you in the face (*familiar*).
[283] **Henri Heine** *Heinrich Heine (1797–1856), German romantic poet.
The lied is a form of lyric poetry.*
[284] **assimilés au grade de sous-lieutenant** ranking with second lieu-
tenants.
[285] **une bicoque de crime** *Hovel of such foreboding aspect that it in-
vites comparison with the site of a crime. Cf.* **la maison du crime.**
[286] **anciennes . . . belges** *Former resorts frequented by Belgians coming
to the seashore.*
[287] **à vol d'oiseau** from a bird's eye view.
[288] **L'ensemble, vide et peuplé en cachette** *In that one sentence
Cocteau conveys the mystery, the weirdness and the ominous threat of
this place which seems empty and yet conceals the two opposing armies.
It is like the stage set ready for the performance of a dreadful scene;
the scenery, the props are the "camouflages" disguising the deadly
weapons.*

L'artillerie anglaise et française, mélangée, profitait des dunes et des arbres. Les zouaves et les tirailleurs occupaient les tranchées de l'embouchure de l'Yser,[289] où l'une de leurs 20 sentinelles gardait le premier sac de cette ville creuse[290] serpentant d'un bout à l'autre de la France. Ensuite, du côté de Saint-Georges, les fusiliers marins veillaient sur un terrain chèrement conquis lors de la bataille de l'Yser.

Zouaves et fusiliers se réunissaient au repos dans les an- 25 ciens hôtels et les anciennes propriétés de Coxyde-bains.

Les deux Nieuport, en ruines, n'offraient plus que l'abri de leurs caves aux chefs et aux postes de secours des différents corps. Ces villes et cette campagne, sans âme qui vive,[291] cachaient un incroyable labyrinthe de couloirs, de routes, de 30 galeries souterrains. Les hommes y circulaient comme des taupes, et on pouvait, entrant dans un trou à Coxyde, sortir par un autre trou, en première ligne,[292] sans voir le ciel. Ce secteur 131 était un secteur calme. Une entente tacite nous empêchait de tirer sur Ostende pour que les ennemis ne tiras- 35 sent pas sur la Panne, exil du roi et de la reine.[293] Ces souverains y habitaient avec les enfants royaux, enchantés, eux, de l'imprévu et d'une charmante basse-cour.

La défense naturelle du fleuve et des inondations protégeait Nieuport contre une grosse surprise. Le colonel Jocaste 40 n'en croyait pas moins à un débarquement nocturne sur des radeaux, par la plage. C'était une crainte chimérique. Il la chérissait. On venait pour cela de bâtir sur la côte, entre Nieuport et l'Yser, un boyau de sapin qui sentait l'hôtel suisse et qui portait le nom du colonel. Cet homme con- 45 sidérait, à juste titre, son boyau comme une des merveilles

[289] **Yser** *River in Belgium which flows into the North Sea. The German army, racing to the sea at the beginning of the war, was stopped at the bataille de l'Yser in 1914.*
[290] **ville creuse** *Refers to the trenches in which the soldiers not only fought but lived throughout the four years of the conflict.* (**sac** = sac de sable).
[291] **sans âme qui vive**   without a living soul.
[292] **en première ligne**   at the front line.
[293] **la Panne, exil du roi et de la reine** *Ostende and la Panne are, like Nieuport and Coxyde, two cities on the coast of the North Sea. The king and queen referred to are King Albert I and Queen Elizabeth of Belgium.*

du monde.²⁹⁴ Il était, en effet, inutile comme les pyramides, suspendu comme les jardins de Babylone, creux comme le colosse de Rhodes, funèbre comme le tombeau de Mausole, coûteux comme la statue de Jupiter, froid comme le temple 50 de Diane et voyant comme le phare d'Alexandrie. Des guetteurs s'y échelonnaient et tiraient les mouettes.

Les dessous de Nieuport ressemblaient à ceux du théâtre du Châtelet.²⁹⁵ On avait relié les caves les unes aux autres et surnommé cet égout: Nord-Sud. Chacun des orifices arborait 55 le nom d'une station du Nord-Sud, et ce n'était pas son moindre charme que de vous déverser à la pancarte: Concorde,²⁹⁶ au milieu des ruines d'un casino.

Une ramification accédait à la cave P. C.²⁹⁷ du colonel. Cette cave était celle de la villa *Pas sans peine,* dont, par 60 miracle, la salle à manger restait seule debout. Le colonel, les jours calmes, y déjeunait comme un gros rat dans un morceau de gruyère.

Le chef-d'œuvre du secteur, c'étaient les dunes.

On se trouvait ému devant ce paysage féminin, lisse, 65 cambré, hanché, couché, rempli d'hommes. Car ces dunes n'étaient désertes qu'en apparence. En réalité, elles n'étaient que trucs, décors, trompe-l'œil, trappes et artifices. La fausse dune du colonel Quinton y faisait un vrai mensonge de femme. Ce colonel, si brave, l'avait construite sous une 70 grêle d'obus, qu'il recevait en fumant dans un rocking-chair. Elle dissimulait, en haut, un observatoire d'où l'observateur pouvait descendre en un clin d'œil, par un toboggan.

En somme, ces dunes aux malices inépuisablement re- 75 nouvelées, côté pile, présentaient, côté face,²⁹⁸ aux télescopes

---

²⁹⁴ **une des merveilles du monde**   *According to the ancients there were seven wonders of the world; Cocteau lists all seven of them in the following sentence.*

²⁹⁵ **théâtre du Châtelet**   *A playhouse in Paris.*

²⁹⁶ **Concorde**   *The name of a Paris subway station located at the intersection of several lines. The lines of the "metro" are identified by the names of their terminal points. In parody of this, the system of tunnels under Nieuport is called* **Nord-Sud:** *Name of one of the Paris subway lines.*

²⁹⁷ **P.C.** = Poste de Combat.

²⁹⁸ **côté pile**   tails; **côté face**   heads (*of a coin*).

allemands, un immense tour de cartes, un bonneteur[299]
silencieux.

—*Où est la grosse pièce? Où est-elle? A droite? A gauche?
Au milieu? Suivez-moi bien. Où est-elle? Droite? Gauche?* 80
Boum! Au milieu. Et la pièce, sous une bâche peinte couleur
de la dune aux bosses de chameau sur qui pousse un poil
d'herbe pâle, reculait et envoyait un obus d'un poids de
coffre-fort.[300]

On ne voyait rien. On entendait les cent cinquante-cinq, 85
les soixante-quinze[301] qui débouchent du champagne sec et
dont l'obus déchire un coupon de soie,[302] la pièce anglaise
dont on ne comprenait jamais d'où elle tirait, les canons
contre avions qui couronnent les aéroplanes de petits nuages
en boule pareils aux séraphins qui escortent la Sainte Vierge, 90
la mer du Nord, couleur d'huître, secouant une eau si froide,
si grise, si ressemblante à la formule H^2O. $NaCl$,[303] que le
désir de s'y baigner ne venait pas plus que de se brûler ou de
s'enterrer vif.

La nuit, le ciel et la terre se balançaient à l'éclairage des 95
fusées, comme une chambre et son plafond éclairés à la
bougie, quand la flamme remue.[304] S'il y avait du brouillard,
il buvardait[305] les éclairs de la canonnade qui ne formaient
plus qu'une seule lueur aveuglante, à rendre fou.[306] Sur la
mer, au large,[307] se baisaient, se quittaient et gesticulaient les 100

[299] **bonneteur**   card sharp.
[300] **coffre-fort**   *Cocteau describes in detail the aspect of the army holdings at the front. The landscape has been altered to camouflage the
guns, although careful attention has been given to make the landscape
look as real as possible. Nevertheless, it is more like a stage set than
reality and its atmosphere is thus in keeping with the "imposture" of
Thomas.*
[301] **les cent cinquante-cinq, les soixante-quinze**   the 155 and 75 mm guns.
[302] **coupon de soie**   piece of silk.
[303] **$H^2O.NaCl$**   *The water of the North Sea is so cold and so grey that
it no longer looks like sea water but like a solution of H^2O and $NaCl$
(water and salt).*
[304] **comme une chambre . . . quand la flamme remue** = comme une
chambre et son plafond eclairés à la bougie, se balancent quand la
flamme (de la bougie) remue.
[305] **buvardait**   it absorbed. *Cocteau has coined a verb from the noun*
buvard *blotting paper.*
[306] **à rendre fou**   to drive one mad.
[307] **Sur la mer, au large**   on the high sea.

projecteurs. Parfois ils se réunissaient comme des ballerines, et, au bout, on voyait les ventres blancs des zeppelins, en route vers Londres.

Dormait-on à Coxyde? On était réveillé par les pièces de marine. Ce tir ébranlait le monde et jetait contre les vitres 105 un grand liseron de lumière mauve.

Le dimanche, au bruit des mitrailleuses qui vocalisent dans le ciel, sur une seule note, un rire de tête de mort, et des moteurs qui chantent, sombrant soudain leur murmure du bleu pâle au velours noir,[308] les officiers du Royal-Navy 110 jouaient au tennis.

A ce vaste mensonge de sable et de feuilles, il ne manquait que Guillaume de Fontenoy.

*I*l vint. C'était le soir. Un side-car l'amena de Dunkerque.[309] L'accueil de la cantine fut glacial. La raison en était que, pour caser Guillaume, Pesquel-Duport avait remis en disponibilité le boute-en-train[310] du groupe. Guillaume usurpait une place encore chaude; place chaude si froide qu'elle lui 5 glaça le cœur. Il s'attendait à trouver des camarades. Il trouva des ennemis mortels.

Ces absurdes garçons, fermés au charme surnaturel de Guillaume, le crurent complice d'un crime qu'il ne soupçonnait pas et le mirent en quarantaine.[311] Seul, sur eux, 10 craignant le grade et à l'affût des récompenses, eût pu agir le nom du général. Mais un secteur est une ville de province

---

[308] **qui vocalisent . . . au velours noir** *The present participle of the verb* **sombrer** *is used in this sentence both in a musical sense (***une voix sombrée** a veiled voice) *and in a pictorial sense:* **sombrant soudain leur murmure du bleu pâle au velours noir** their murmur suddenly deepening in tone from pale blue to black velvet.

[309] **Dunkerque** *French port on the coast of the North Sea.*

[310] **avait remis en disponibilité le boute-en-train** had sent back to inactive duty the live wire.

[311] **mirent en quarantaine** ostracized him

où le pharmacien en impose plus que Charcot.[312] Fontenoy
ne commandait pas le secteur.

Les commères ridicules virent tout de suite que Guil- 15
laume avait de l'enthousiasme. Ce fut le comble.[313] Chaque
volontaire était aussi peu volontaire que possible. Rien de
noble, de gai, de simple, ne les réunissait. Ils prirent le zèle
de Guillaume pour une insulte. —Il nous nargue, pen-
saient-ils. Et, par vengeance, ils l'envoyaient porter des rap- 20
ports aux zouaves, dans la zone dangereuse. Guillaume ne
demandait pas autre chose. A travers ce parc de feu et de
tonnerre, il se promenait, ravi.

C'est de la sorte qu'il lia connaissance avec le colonel
Jocaste. Ce colonel, en lisant le nom de Fontenoy, tomba les 25
quatre fers en l'air.[314] Il entraîna Guillaume dans son trou,
et, comme il était cinq heures, le pria d'y prendre le thé. Le
téléphoniste jouait le rôle de jeune fille de la maison.[315] Il
disposait sur un coin de table, des tasses, une théière et une
boîte de biscuits.   30

Sous prétexte qu'il était défendu de mettre les villas à
sac,[316] et que le moindre ustensile provenait de cette source,
on prétendait toujours avoir trouvé tout dans l'église.

—Ces tasses viennent de l'église, dit le colonel, en clignant de l'œil.   35

Le colonel harcela Guillaume de questions sur son oncle.
Ce général était son dieu. Tout en parlant, il roulait des
bandes molletières[317] autour de ses grosses jambes et gémissait
comme si ce fussent des pansements. Il confia ses craintes à
Guillaume au sujet des radeaux et lui dessina son plan de 40
défense. Il redoutait aussi les gaz, presque impossibles en
cet endroit de vents qui tournent. Il était fier de sa salle à
manger en dentelles.

—Que voulez-vous,[318] dit-il à Guillaume, je ne renonce

---

[312] **Charcot**   *Jean Martin Charcot, a French doctor famous for his re-
search on nervous diseases (1825–1893).*

[313] **Ce fut le comble**   That was the last straw.

[314] **tomba les quatre fers en l'air**   fell over backwards.

[315] **la jeune fille de la maison**   *As in a family gathering, the telephone
operator (here a soldier) plays the role of the daughter of the house and
sets the table.*

[316] *mettre . . . à sac*   to loot.

[317] **bandes molletières**   *Strips of leather or cloth wound around the
calf of the leg.*

[318] **Que voulez-vous**   *(interjection)* well!

jamais au décorum, si faire se peut.[319] J'en suis féru.[320] Ainsi, 45
entre nous, j'ai une maîtresse, une femme du monde. Eh
bien, pour dîner seule en tête-à-tête avec moi, ou avec son
mari et moi, toujours la robe ouverte et les hommes en
smoking.

Sa quatrième marotte était un soixante-quinze monté 50
en première ligne, à vingt-sept mètres du poste d'écoute
ennemi, boulon par boulon, comme les bateaux dans les
bouteilles.

—Vous voyez leur gueule,[321] disait-il, en cas d'attaque.
Un soixante-quinze en première ligne! 55

Il riait, se tapait sur les cuisses.

Soudain la porte s'ouvrit, et le général commandant du
secteur parut.

Avec deux capitaines, harnachés de cuirs et de rubans,
il passait une inspection, espèce de surprise-partie fort désa- 60
gréable pour ceux qui la reçoivent.

Le colonel sauta sur ses pieds et, faisant une révérence,
culbuta la boîte de biscuits secs. Par un réflexe mondain,
le général se précipita pour ramasser les gâteaux et cogna
de son casque la tête du colonel qui se précipitait en sens 65
inverse.

—Je vous ai fait mal? demanda-t-il.

Il avait fait très mal. Le colonel répondit que ce ne
serait rien. Guillaume, d'un angle de la cave, dévorait des
yeux cette scène surprenante. 70

Maintenant, le pauvre colonel, un peu remis du choc
physique et moral, décrivait ses merveilles.

Il en était à[322] son soixante-quinze dans une hutte, et le
général, oubliant sans doute le camouflage des dunes, demandait si cette hutte était une hutte de feuilles, lorsqu'un 75
artilleur parut. Le colonel le congédia du geste, mais le
général se récria, ne voulant sous aucun prétexte, appuyait-il,
déranger le travail habituel du secteur.

—Parlez, dit le colonel.

Il s'agissait du soixante-quinze. L'homme venait dire, 80
après un interminable préambule, que les mesures du

---

[319] **si faire se peut**   if at all possible.
[320] **J'en suis féru**   I'm set on it.
[321] **Vous voyez leur gueule**   You can see their mugs [**gueule** face
(*popular*)].
[322] **Il en était à**   he had got as far as.

génie[323] étaient fausses, que la hutte était trop étroite, qu'on voyait l'affût, et qu'il y avait des chances pour que l'ennemi donne une "bamboula" de représailles.[324]

—Des représailles! des représailles! éclatait le colonel, 85 furieux de paraître ridicule aux yeux du général. Nous allons voir. Je vais leur en fiche, des représailles.[325]

—Commandez, hurla-t-il dans un tuyau acoustique, cent coups de soixante-quinze sur la villa Vromberg.

—Vromberg? interrogea le général. Parbleu, dit-il en se 90 tournant vers un de ses capitaines, c'était la villa de madame Vromberg. Une charmante femme. Pauvre madame Vromberg.

—Vous la connaissez, mon général, s'écria le colonel qui perdait la tête. Et, saisissant le tuyau acoustique: —Dé- 95 commandez le tir, dit-il, dé-com-man-dez-le-tir.

Le général vit l'état dans lequel sa visite mettait le brave homme.

—Diable, fit-il, voilà que vous vous montrez galant avec des ruines. Je vous quitte. Il me semble que tout cela marche 100 aussi bien que possible. Restez. Ne vous dérangez pas. Ne vous donnez pas la peine. Je connais le chemin.

Le colonel se retrouva seul avec Guillaume. Il ruisselait. Il frottait une bosse produite par le casque. Il demanda s'il s'était montré à la hauteur.[326]   105

—Il y a bien l'histoire du soixante-quinze, répétait-il. Mais mon boyau efface tout.

Ils prirent le thé.

Des bureaucrates, encore des bureaucrates, pensait Guillaume. Il cherchait une brèche. Son but était ce lieu redou- 110 table qu'il entendait la nuit crépiter comme une pièce d'artifice, cette fusillade leste, inégale, semblable aux tics d'un dormeur rêvant qu'il marche.

Le surlendemain le colonel lui donna un guide pour la

---

[323] le génie   the engineers corps.
[324] il y avait des chances . . . de représailles   it was very likely that the enemy would go on a "spree" of reprisals.
[325] Je vais leur en fiche, des représailles   I'll give them reprisals!
[326] s'il s'était montré à la hauteur   whether he had been up to snuff.

visite aux lignes. Ils partirent à onze heures, au clair de lune. 115

Au lieu de prendre le système de boyaux si cher au colonel, on lui désobéissait et on gagnait la berge par l'ancienne grande rue de Nieuport. On marchait de barrage en barrage, entre les dominos de quelques pans de murs et de la lune.[327] La lune grandissait ces petites ruines toutes jeunes, 120 et à droite du sable, deux ou trois arbres chloroformés dormaient debout.

Un pont de poutres, de solives, de madriers, de rondins, de barriques s'entrechoquant, traversait l'Yser à son embouchure. L'eau grise se bousculait, pénétrait tragiquement 125 la mer du Nord, comme un troupeau de moutons entre à l'abattoir.

La nuit, cette eau devenait phosphorescente. Si on y jetait une douille, elle sombrait tout éclairée comme le *Titanic*.[328] Un projectile y tombant, sa chute allumait au 130 fond un boulevard de magasins splendides.

Sur l'autre rive commençaient les tranchées. Guillaume toucha le premier de ces sacs de sable qui protègent la ville creuse et dans lesquels les balles s'enfouissent avec le bruit du frelon dans la fleur.   135

Le dédale des tranchées était interminable. Guillaume suivait son guide silencieux qui fumait la pipe, empaqueté dans des moufles, des peaux de mouton, des passe-montagnes. On entendait les vagues tantôt derrière soi, tantôt devant, à gauche ou à droite. On tournait sans se rendre compte, et 140 on ne savait jamais où mettre la mer. Quelquefois, l'eau vous montait à mi-jambes.

Cette Venise, cette Alger, cette Naples[329] de songe semblait aussi vide que les dunes, car, dans mille celliers, les zouaves dormaient, serrés comme des bouteilles. On les cas- 145 sait aux jours d'orgie.[330]

Sur deux points de ce front, le méandre des lignes

---

[327] **entre les dominos de quelques pans de murs et de la lune**   between the dominos formed by the few pieces of wall and by the moon.

[328] **le Titanic**   *Ill-fated ship which, on April 14, 1912, collided with an iceberg while en route from Southampton to New York and sank.*

[329] **Cette Venise, cette Alger, cette Naples**   *These three port cities have in common an exotic appeal: Venise (Italy) on the Adriatic Sea, Alger (Algeria) on the Mediterranean, and Naples (Italy) on the Tyrrhennian.*

[330] **On les cassait aux jours d'orgie**   *The soldiers slept in wine cellars where they were packed in like bottles. In battle the soldiers were killed just as bottles are broken in a drunken feast.*

allemandes et françaises se joignait presque. Le premier, nommé Mamelon-Vert,[331] près de Saint-Georges, le deuxième près de la plage. De part et d'autre, on y avait creusé des 150 postes d'écoute.

Guillaume se glissa dans la sape. On ne passait qu'à plat-ventre. Cette sape débouchait dans une fosse contenant deux hommes. Le jour, ils jouaient aux cartes. Les ennemis occupaient une fosse analogue à douze mètres. Chaque fois 155 qu'un des zouaves éternuait, une voix allemande criait: "Dieu vous bénisse."

Le long du mur de première ligne, sur une sorte de remblai, de corniche, de piédestal, se tenaient, de place en place, les guetteurs. Ce mur se composait de tout,[332] comme 160 le reste de la ville. Outre les sacs, on le sentait fait avec des armoires à glace, des commodes, des fauteuils, des dessus de piano, de l'ennui, de la tristesse, du silence.

Ce silence, aggravé par la fusillade et le reflux, était pareil au silence des boules de verre où il neige. On y mar- 165 chait comme on vole en rêve.

La botte de caoutchouc de Guillaume ayant glissé, il remua l'eau. Un des guetteurs se retourna. C'était un goumier.[333] Il mettait le doigt sur la bouche. Ensuite, il redevint statue.   170

Car cet Arabe au burnous de journaux et de ficelle se tenait plus immobile que, sur son cheval, Antar[334] mort. Guillaume contemplait, entre les sacs, enfarinée de lune, cette silhouette d'un meunier jaloux, terrible, guettant avec un fusil, à une lucarne de son moulin.   175

Ces guetteurs concentraient toute leur vie sur leur figure. S'ils rechargeaient, leurs mains allaient et venaient comme des domestiques. Aussi la France avait-elle, au bord de son manteau, une étonnante hermine de visages attentifs.

---

331 **Mamelon-Vert**   Green-Hillock.

332 **se composait de tout**   In the making of the wall all sorts of abandoned household objects were used, poetically cemented by sadness, boredom, and silence.

333 **un goumier**   Algerian military scout usually clothed in a burnoose, a sweeping white woolen coat and hood.

334 **Antar**   Warrior of the sixth century, the hero of an Arabian epic. Note the awe-inspiring imagery which Cocteau uses to create the atmosphere of the impending death of Guillaume. The description of the quality of the moonlight in combination with references to legendary heroes evokes the timeless gravity of death.

Mais, ce qui attirait Guillaume, c'était la bande qui180 foudroie, la bande mixte où poussent les ronces de fil de fer. Nul n'y pose le pied en dehors des attaques, sauf en patrouille, la nuit. Pour être d'une de ces patrouilles, Guillaume eût fait n'importe quoi.

Au lieu de cela, il rebroussait chemin. Il n'était que185 touriste. Il quittait le théâtre et se retrouvait dans la rue, sans partager la mystérieuse vie des acteurs.

*I*l se morfondait. Chaque semaine lui pesait sur les épaules. Son seul plaisir était les lettres et les cadeaux que lui envoyaient Henriette et sa mère.

Ses journées médiocres le tournaient vers le souvenir des deux femmes. Peu à peu, comme les presbytes qui ne 5 lisent qu'à distance, Guillaume lut ses sentiments pour Henriette. Elle était loin, irréelle, factice. Elle pouvait donc entrer dans sa fiction.

Il joua cet acte à merveille. Il soupirait, enrageait, ne mangeait plus, gravait des cœurs dans des bagues d'alu- 10 minium, écrivait des lettres qu'il déchirait ensuite; car, avec cette patte des chats qui jouent ensemble et sentent exactement où s'arrête la griffe, Guillaume, torturé d'amour, ne faisait rien qui pût avertir Henriette, donner la moindre racine à son rêve.   15

Il ne cherchait pas à savoir si cet amour était réciproque. Il pouvait dire, avec Goethe:[335] "Je t'aime; est-ce que cela te regarde?"[336]

Sur ces entrefaites,[337] la cantine reçut l'ordre de se rendre dans la Somme.[338] Elle laisserait du matériel en Belgique 20 avec un volontaire-gardien.

[335] **Goethe**   *Wolfgang Goethe (1749–1832), German writer, the author of* Faust.
[336] **est-ce que cela te regarde?**   is that any concern of yours?
[337] **Sur ces entrefaites**   Meanwhile.
[338] **la Somme**   *Département in northern France. Many dreadful battles were fought in 1916 on the Somme River.*

Le volontaire désigné ne pouvait être que Guillaume.
Les niais crurent lui jouer un bon tour en se débarrassant
de lui. Or, ils le débarrassaient d'eux.

Le surlendemain de leur départ, Guillaume rencontra 25
le jeune capitaine Roy, des fusiliers marins.

—Quoi, dit-il, on vous laisse seul? Venez donc à notre
popote.[339]

L'héroïsme réunissait un monde mêlé[340] sous une même
palme.[341] Bien des meurtriers en herbe[342] y trouvaient l'occasion, l'excuse de leur vice et sa récompense, côte à côte
avec les martyrs. On s'étonne que la guerre embauchât,
par exemple, les Joyeux.[343] Ils tenaient le secteur entre 5
les fusiliers et les zouaves. La société trouvait bon, alors,
qu'ils déployassent des instincts pour quoi elle les avait
exclus.

Mais ni zouaves, ni fusiliers ne profitent d'une chasse
permise. Rien de féroce ne tachait les fusiliers marins.   10

Leurs chefs étaient des héros charmants. Ces jeunes
hommes, les plus braves du monde, et dont pas un ne reste,
jouaient à se battre, sans la moindre haine. Hélas! des jeux
pareils finissent mal.

Ils se relayaient aux lignes[344] et habitaient une villa de 15
Coxyde-bains. Ce que Guillaume avait de beau les enchanta.
Et, au fait, à ce moment, quel reproche pourrait-on lui faire?
Il ne trompe personne. Ce n'était pas un nom de général qui
influençait ces âmes nobles. Du reste, ce nom qui perdait en
ce lieu son sens pratique, ne devenait-il pas un simple nom 20
de guerre?[345] Ils en portaient tous. Guillaume Thomas était
Fontenoy, comme Roy: *Fantomas*, Pajot: *Cou de Girafe*,

[339] **popote** mess.
[340] **un monde mêlé** group of people of mixed background. *Generally used pejoratively, it implies that some are of questionable origin.*
[341] **palme** *The palm is a symbol of valor, devotion, greatness.*
[342] **en herbe** budding.
[343] **Joyeux** *Popular name for the battalion in Africa to which men were assigned as punishment for crimes.*
[344] **Ils se relayaient aux lignes** they took turns at the front lines.
[345] **nom de guerre** assumed name; **Fantomas** *The hero of a series of mystery novels widely read around 1914. Note that Guillaume is now called by the name he assumed.*

Combescure: *Mort subite,* Breuil de la Payotte, fils de l'amiral: *l'Amiral,* Le Gannec: *Gordon Pym.*

Leur devoir semblait être celui de madame de Bormes: s'ennuyer le moins possible. Le reste du secteur, comme le monde à Clémence,[346] n'y comprenait rien. On prenait leur désinvolture pour de la morgue. On les traitait d'aristocrates. On se trompait de peu. C'était une aristocratie, c'est-à-dire une démocratie profonde, une famille, que ce bataillon.[347]

L'accueil fait à Guillaume n'était possible que là. Jalousies, crainte des registres, grades, inégalité des classes, l'eussent empêché ailleurs.

Le bataillon entretenait le négligé de la véritable élégance. A la fin du repas, Le Goff, matelot qui servait à table, cousit des ancres[348] sur la vareuse bleu sombre des cantines, et le tour fut joué. On adoptait Guillaume. On ne se quitterait plus.

Les marins, comme la princesse, furent un foyer pour Guillaume. Ils en raffolaient, le fêtaient, le consultaient. Ils l'emmenèrent dîner chez leur chef. Ce vieillard délicieux trouva l'adoption aussi drôle que si ses enfants, comme il appelait ses subalternes, lui eussent amené un petit ours. Le fait est que, comme les ours, singes, marmottes, Guillaume devint fétiche. Il se sentait au but. Son amour pour Henriette tomba. Son cœur s'était mis en marche à cause d'elle, mais son amour était l'amour tout court. Il en reportait l'élan sur ses nouveaux amis. Il leur versait sa richesse. Il était amoureux du bataillon.

Tout concourait à sa chance, car, fusilier marin réel,[349] Guillaume aurait trouvé la tâche rude. Devenu fusilier sans l'être, il pouvait jouir pleinement de son bonheur.

Il lisait mal les grosses missives de l'avenue Montaigne. Il en oubliait de cachetées dans sa poche.[350] Il distribuait les

---

[346] **comme le monde à Clémence** = comme le monde ne comprenait rien à Clémence (**n'y rien comprendre à** to be at a loss to understand).
[347] **C'était . . . que ce bataillon** Ce bataillon était une aristocratie . . . une famille.
[348] **des ancres** *Insignia of the marines.*
[349] **car, fusilier marin réel** = car, s'il avait été un fusilier marin réel.
[350] **Il en oubliait de cachetées dans sa poche** He forgot about some of them unopened in his pocket.

friandises à la popote et remerciait sur des cartes qui limitent 55
l'effusion.

Avait-il le temps d'écrire? Il suivait soit Roy, soit Breuil,
soit Le Gannec à leur poste. Il montait en ligne avec eux, et
parfois, on le léguait au successeur.

Il avait écrit une seule lettre longue: à Pesquel-Duport. 60
Il le priait de le laisser à Coxyde, le vague matériel fournis-
sant une excuse à son interminable séjour.

Sa joie était si complète qu'il déchira sa permission. Il
dit à la popote qu'il ne pouvait se résoudre à partir. Ce trait
couronna ses conquêtes. Les jeunes chefs lui organisèrent un 65
banquet et envoyèrent acheter du champagne à la Panne où
l'hôtel Terlinck et la pâtisserie fonctionnaient encore malgré
les bombes.

Ils se grisèrent et firent des discours. Le nom de Fontenoy
revenait souvent, mais d'une façon assez irrespectueuse. Le 70
général y tenait plutôt le rôle de ganache que d'idole. La
vraie idole étant Guillaume Thomas.

M ademoiselle de Bormes et la princesse vivaient dans l'attente de cette permission. Elles préparaient mille gâteries et
Henriette retrouvait de fraîches couleurs. La déception les
effondra.[351] Guillaume prétendit ne pouvoir s'éloigner du
matériel. On me pillerait, écrivait-il.   5

Elles ne furent pas dupes, mais il est vrai, pour le devenir davantage.[352]

—Il se dit que nous l'empêcherions de retourner au
devoir, s'écriait Clémence.

Henriette, dans son lit, en larmes, embrassait un in- 10
stantané envoyé par Guillaume, se reprochait son silence, et,
le cœur large ouvert, se torturait entre l'idée que Guillaume
ne l'aimait pas et la fuyait, ou qu'il l'aimait et voulait éteindre une flamme au couronnement de laquelle il ne croyait
pouvoir prétendre.[353]   15

---

[351] **La déception les effondra**   The disappointment crushed them.
[352] **Elles ne furent pas . . . devenir davantage**   They were not taken in
by that but, it is true, only to be more taken in (*by something else*).
[353] **voulait éteindre . . . pouvoir prétendre**   he wanted to smother a
flame for whose fulfillment he didn't think he could hope.

Elle ne voyait que ce blanc et que ce noir. Elle ne distinguait rien entre.

Son optimisme d'âge penchait vers le blanc.

—Il m'aime, pensait-elle, et sa délicatesse l'éloigne. Il craint de passer pour un séducteur, que maman le chasse. Je 20 suis la seule coupable. Mon indolence l'expose.

Henriette se promettait de parler, de supplier. Mais elle n'y parvenait pas. Son secret lui était si cher qu'elle en reculait le partage, avec qui que ce fût.³⁵⁴

Ces deux femmes, hors d'elles, harcelaient Pesquel- 25 Duport. Tout était de sa faute. Elles ne savaient pas si bien dire.³⁵⁵

Il avait beau³⁵⁶ se disculper, expliquer la consigne des services; l'avenue Montaigne devenait intenable.

Il eut alors une de ces inspirations qui, lorsqu'elles 30 s'adressent aux foules, font la fortune des journalistes.

—Le journal, dit-il aux deux femmes, organise des séances de théâtre aux armées. Je désigne le Nord pour la prochaine séance, je vous engage dans la troupe, et je vous accompagne. 35

La princesse l'embrassa. Henriette pleurait.

Le directeur tint sa promesse. Quatre jours après, Clémence, Henriette et lui-même, allèrent rejoindre la tournée au train.

Il semblait aux femmes que ce fût un train de plaisir 40 qui mène déjeuner sur l'herbe.³⁵⁷ Guillaume ne savait rien. On lui réservait la surprise.

*L*a troupe, recrutée de bric et de broc,³⁵⁸ se composait de quelques comparses, d'une cantatrice en robe et en chapeau de Grande-Mademoiselle,³⁵⁹ d'un tragédien illustre, d'une

³⁵⁴ **elle en reculait le partage, avec qui que ce fût** she put off sharing it with anyone at all.

³⁵⁵ **Elles ne savaient pas si bien dire** They did not know how right they were in so saying.

³⁵⁶ **Il avait beau** No matter how.

³⁵⁷ **un train de plaisir qui mène déjeuner sur l'herbe** an excursion train taking them to a picnic.

³⁵⁸ **de bric et de broc** from somewhere or another.

³⁵⁹ **Grande-Mademoiselle** *Title of the daughter of Gaston d'Orléans, brother of Louis XIII (seventeenth century).*

débutante en deuil, accessit du Conservatoire[360] de l'année
précédente, et d'un jeune premier dont le fils colonel venait 5
de gagner sa septième palme.[361] Il comptait pouvoir le rejoindre au front.

Pesquel-Duport nommait les compagnons de route les
uns aux autres, lorsque la princesse, stupéfaite, vit, revenant
d'acheter des oranges, madame Valiche. Elle arborait la 10
tenue décrite dans la ferme.

—Par exemple![362] s'écria cette horrible femme, vous!
vous ici! mais qu'arrive-t-il donc, *ma chère?* dit-elle, pour
montrer aux comédiens son intimité avec madame de Bormes.

La princesse, lui abandonnant le bénéfice de ce "ma 15
chère," car elle voyait en rose et ne voulait troubler le plaisir
de personne, présenta Pesquel-Duport, et dit qu'elle lui
devait cette faveur.

Elle ajouta:

—Guillaume Fontenoy est à Coxyde; nous espérons l'y 20
voir.

—Et allez donc![363] pensa madame Valiche, en clignant
de l'œil.

La princesse ne tenait pas à ce que madame Valiche,
forte de leurs souvenirs communs, s'accrochât derrière 25
elle et Guillaume. Elle avait d'abord voulu taire leur
véritable but. Immédiatement, elle comprit que cette
femme se vengerait, en s'apercevant d'une cachotterie. Ce
rouage[364] la fit prononcer honteusement une phrase toute
simple. 30

Pesquel-Duport était fin, mais pas assez. Il remarqua le
ton de Clémence et le clin d'œil. Les deux lui déplurent.

Maintenant madame Valiche expliquait:

—Vous allez m'applaudir, ma chère. Je voulais visiter
le Nord. Mon maître Romuald (elle désignait le tragédien) 35
m'emmène avec lui. Mais, minute! je paie ma place. Je *donne*

---

[360] **accessit du Conservatoire** *Graduated "honorable mention" from
the Paris Conservatory.*
[361] **venait de gagner sa septième palme** had just earned his seventh
decoration.
[362] **Par exemple!** Of all things!
[363] **Et allez donc!** Come now!
[364] **rouage** gearwork (*refers to the succession of thoughts of the princess*).

La Fiancée du Timbalier, s'il vous plaît. Et je figure dans
La Fille du Tambour-Major.[365]

La princesse présenta Henriette qui se croyait déjà au
spectacle. Avec le sans-gêne de la jeunesse, elle riait au [40]
nez[366] de madame Valiche et des comédiens, gardait ce rire
étalé sur sa figure et les dévisageait comme des bêtes curi-
euses.

Pesquel-Duport avait eu la précaution de retenir un
compartiment pour les deux femmes et lui, à quelque dis- [45]
tance du compartiment de la troupe.

Chaque fois que madame Valiche passait dans le couloir,
elle jetait un coup d'œil sur les places vides et, derrière les
vitres, mimait un "Peste![367] vous ne vous ennuyez pas" qui
était un reproche. Car ils étaient empilés dans leur com- [50]
partiment.

La princesse était sur le gril.[368] Pesquel-Duport tenait
bon.

—Ne l'invitez pas, disait-il. Cette femme a l'air d'un
papier à mouches.   [55]

Lorsque Pesquel-Duport alla dire quelques bonnes paroles à son bétail,[369] il entendit le maître[370] Romuald qui
racontait la guerre de 70.[371] Il la racontait depuis le départ.
Cet homme avait eu, le mois d'avant, une idée renversante
pour qui ne connaît pas le monde des coulisses.   [60]

Ayant su, le premier, la mort héroïque d'un de ses
élèves, il s'était rendu chez les parents, un brave ménage ido-
lâtrant ce fils, et, pour adoucir, croyait-il, la nouvelle, la leur
avait apprise en récitant un sonnet de sa composition.

Ces malheureux étaient à table. Romuald récitait de la [65]
porte. Ils ne comprirent pas et le crurent fou. Il fallut leur
expliquer la chose après, comme on recoupe le cou à un
condamné manqué par la hache.

La jeune actrice en deuil était la fiancée de l'élève. Elle
savait le sonnet par cœur.   [70]

[365] **La Fille du Tambour-Major**   *Comic operetta by the French composer Jacques Offenbach (1818–1889).*
[366] **elle riait au nez de**   she laughed in the face of.
[367] **Peste!**   Bless my soul!
[368] **sur le gril**   on tenterhooks.
[369] **bétail**   livestock (*refers to the troupe of actors*).
[370] **maître**   *Honorific title given to renowned artists, here ironically.*
[371] **la guerre de 70**   *The Franco-Prussian War of 1870*

A Dunkerque les attendaient des automobiles. Le tragédien portait un chapeau Bolivar,[372] des guêtres, une sacoche
et des jumelles. Il cherchait les avions ennemis.

Le lendemain matin, à la Panne, où logeait la troupe,
madame de Bormes et sa fille, qui ne tenaient plus en place, 75
faillirent se trouver mal; car, apprenant l'arrivée d'actrices,
Guillaume, Roy et Pajot étaient venus à leur rencontre.
En voyant quelles étaient les actrices, Guillaume crut
rêver. C'était bien, pour lui, la preuve qu'il ne rêvait pas.
Ces femmes et lui formaient un groupe de gravure empire: 80
Le Retour du Soldat.[373]
Le cœur aéré, exalté de Guillaume ne leur ménagea
aucune fête. Il n'avait pu faire l'effort d'aller à elles, mais il
exultait qu'elles vinssent à lui èt connussent ses camarades.
Il n'était pas de ces âmes étroites, soucieuses de cloisons 85
étanches.
Un miracle, s'il dure, cesse d'être considéré comme tel.
C'est pourquoi les apparitions disparaissent si vite.
Au bout d'un quart d'hèure, on ne s'étonna plus. Guillaume embrassa madame Valiche, et les fusiliers enlevèrent 90
le directeur et les deux dames.
On retrouverait la troupe à Coxyde, le soir, pour le
spectacle.
Il pleuvait. Cette journée fut, pour ces trois êtres, la plus
belle du monde. Pesquel-Duport, rajeuni, plaisait aux fu- 95
siliers.
Madame de Bormes et Henriette bénéficièrent des préparatifs qu'on réservait aux actrices, et purent croire qu'on
les attendait féeriquement. Leur joie débordante était faite
de dunes, d'aéroplanes, de canons, de casques et, en péné- 100
trant dans la villa, de traverser la cuisine, où des diables à
moitié nus, tatoués d'ancres, éclairés par un feu d'enfer,
gesticulaient autour des marmites.

---

[372] **un chapeau Bolivar** *A tall, bell-shaped hat.*
[373] **Le Retour du Soldat** *Popular subject of engravings during the empire period, i.e., the time of Napoleon I.*

Madame de Bormes eut un succès extraordinaire. Tout ce monde risquant d'être tué le lendemain, se livrait sans réserve et ne calculait pas. Cette atmosphère généreuse, qui était la sienne comme celle de Guillaume, la mettait en valeur.[374]

De plus, une femme belle et une jeune fille fraîche saisissaient dans un tel décor, autant que roses sur une banquise.[375]

Roy les promenait partout. On les acclamait. On baisait leurs mains, on touchait leurs robes. Chacun voyait en elles une ressemblance chérie.

Madame de Bormes, qui flairait le ridicule d'une lieue,[376] sentit qu'elle pouvait, sans ridicule, qu'elle *devait* distribuer, en les arrachant, les franges de cuir de son manteau. Il est bien rare qu'une femme se trouve en posture de faire un geste pareil. La reine des Belges n'aurait pas mieux réussi.

Guillaume en était fier et regardait Henriette. Henriette, dans des conditions si riches, si pleines, ne doutait plus du bonheur. Aussi, ne craignant pas de paraître frivole aux yeux de Guillaume, lâchait-elle les brides à[377] son amusement.

Cette pente douce les mena jusqu'au spectacle.

Il eut lieu dans un hangar de l'escadrille anglaise, mieux aménagé que nos scènes élégantes.

Les automobiles des chefs ronronnaient, lumières éteintes. On sortait les cartes des poches. Les soldats entraient un par un, car, la salle étant assez petite, on avait distribué les places au compte-gouttes.[378]

Les malchanceux firent contre mauvaise fortune bon cœur.[379] Ils écoutèrent, assis sur le sable, un camarade réciter

[374] **la mettait en valeur** enhanced her.
[375] **saisissaient . . . sur une banquise** were as striking in such a setting as roses on an icebank.
[376] **d'une lieue** at the distance of a league.
[377] **Aussi . . . lâchait-elle les brides à** Therefore . . . she gave free rein to.
[378] **au compte-gouttes** sparingly.
[379] **Les malchanceux firent . . . bon cœur.** The unlucky made the best of a bad thing.

des monologues. D'autres trouaient les planches avec leurs
baïonnettes, pour voir se déshabiller les actrices.   10

L'orchestre joua les hymnes alliés bout à bout. Ils pre-
naient feu l'un à l'autre. Ensuite, les généraux français,
anglais et belges s'assirent, et le spectacle commença.

La troupe interprétait LA PEUR DES COUPS,[380] un acte de
L'ÉTINCELLE et un acte de LA FILLE DU TAMBOUR-MAJOR. 15

Comme la première de ces comédies parle d'un capitaine
et qu'il en paraît dans les suivantes, les soldats crurent que
c'était une pièce en trois actes. Ils comprirent mal l'intrigue.

En queue des comédies et de l'opérette, où madame
Valiche figurait, travestie en tambour,[381] elle vint seule sur 20
les planches et récita, dans ce costume impudique, LA FIAN-
CÉE DU TIMBALIER. Elle plut beaucoup.

A l'aide de grimaces, de sous-entendus, elle finissait par
donner à ce poème un air égrillard et actuel. La cantatrice
plut moins. Voulant faire reprendre à la salle une chanson 25
de route que les militaires ne chantent pas, elle criait: "En
chœur les gars!"[382] dans le vide.

Romuald sauva la mise[383] en déclamant la Marseillaise,
avec un drapeau tricolore rejeté sur l'épaule.

*A*près la représentation, la troupe était invitée chez le
général Madelon. Madame de Bormes et sa fille ne pouvaient
s'y soustraire, d'autant plus que Pesquel-Duport devait tenir
là son rôle officiel.[384]

Guillaume et ses camarades convinrent qu'en sortant le   5
trio viendrait les rejoindre, qu'ils le mèneraient à Saint-
Georges, en cachette; le général interdisait qu'on montrât
les lignes aux civils.

Ce général, qui avait mal compris le titre de Pesquel-

[380] **La Peur des Coups** *A comedy by Georges Courteline (1860–1920);*
L'Étincelle *A comedy by Edouard Pailleron (1834–1899).*
[381] **travestie en tambour**   decked out as a drummer.
[382] **"En chœur les gars!"**   "All together, boys!"
[383] **sauva la mise**   saved the show.
[384] **ne pouvaient s'y soustraire . . . rôle officiel**   could not get out of
it, all the more since Pesquel-Duport was to appear there in his official
capacity.

Duport, et ne le croyait pas directeur de journal, mais de théâtre, le félicita sur sa troupe.

—Vous avez là, lui dit-il, une troupe excellente.

—Mon général, rectifia doucement Pesquel-Duport, je suis un invité.

—Moi aussi, que diable! moi aussi. Et je ne m'en plains fichtre pas.[385] N'est-ce pas, mesdames? s'écriait le général.

Sa phrase n'avait aucun sens. Il appelait ce genre de phrases: l'esprit d'à propos.[386]

La princesse et Henriette ne souhaitaient que partir. Pesquel-Duport fronçait les sourcils. Enfin, à la limite permise, ils prirent congé.

—Bravo! encore bravo, mesdames! dit le général, qui reconnaissait en elles les interprètes de Pailleron.

Le reste de la nuit fut sublime.

Bien que leurs souliers s'accrochassent entre les lattes des caillebotis,[387] les deux femmes marchèrent quatre heures.

Guillaume, dans une cave de Nieuport, les avait recouvertes de capotes et de casques.

Au retour, elles chancelaient de fatigue.

Un moment, la princesse stoppa.

—Je ne sais ce que j'ai, dit-elle, je suis prise d'angoisse.

—Vous n'avez pas peur? Penchez-vous, ne craignez rien, dit Roy. Nos ennemis dorment.

—C'est stupide. Je suis une femmelette. Continuons.

Madame Valiche sut ou renifla la visite aux lignes. Furieuse de ne pas y avoir été emmenée, elle se vengea.

Au retour, profitant de se trouver en tête-à-tête avec Henriette dans le couloir du wagon, croyant qu'il existait un commerce entre sa mère et Guillaume et ayant percé la jeune fille,[388] elle fit mine de regarder si personne ne les entendait. Elle chuchota:

[385] **Moi aussi, que diable! . . . . plains fichtre pas** So am I, hang it! so am I. And I don't complain, by Jove.

[386] **l'esprit d'à propos.** well-timed wit.

[387] **les lattes des caillebotis** the slats of the grating lining the trench floors.

[388] **ayant percé la jeune fille** Cf. *percer un secret* to penetrate a secret.

—Dites donc . . . Guillaume est fou de vous. . . . Halte-là.
Ne désespérez pas ce petit bonhomme. Il serait capable de se 20
faire casser la figure.[389]

Et, sans attendre de réponse, laissant Henriette interdite,
glacée, elle réintégra le wagon des comédiens.

A la popote, on ne s'entretenait que des deux femmes. Plus
qu'un oncle général, elles ajoutaient du prestige à Guillaume.

—Dis donc, lui dit Roy, elle t'adore, cette gosse.[390]

Guillaume, avec la voix qu'il avait prise jadis pour 5
répondre à la princesse chez Verne: ma tante est une sainte,
etc., répondit au fusilier:

—C'est réciproque. Nous nous aimons comme frère et
sœur.

Or, cette visite avait apporté de la richesse à Guillaume 10
et la lui laissait. Un nouvel accessoire ornait son jeu étrange.
Henriette pouvait aller au bout du monde sans qu'il trouvât
rien à y perdre.

*U*n malheur frappa le groupe de Coxyde.

Pajot devait partir en permission le jour de sa descente
des lignes. Il tremblait donc toute la nuit qu'un accident
survînt. Roy le taquinait et, comme Pajot le suppliait de se
tenir tranquille, lui barbouilla le visage de lumière, avec sa 5
lampe de poche. Pajot tomba raide mort, une balle dans la
tête. Cette balle était une balle perdue,[391] mais Roy se traitait
d'assassin. Il ne sortait plus d'une tristesse noire.

Guillaume ne le quittait pas, le surveillait, s'employait
à l'égayer. 10

A Paris, mademoiselle de Bormes vivait avec la phrase de
madame Valiche. Elle n'en était plus à déplorer qu'une

---

[389] **de se faire casser la figure**　of getting his neck broken.
[390] **cette gosse**　that kid.
[391] **une balle perdue**　a stray bullet.

pareille femme se mêlât de ses tourments.[392] Elle se reprochait de commettre un crime.

Déjà, n'eût-elle point aimé Guillaume, son devoir lui 5 commandait presque de feindre, et elle aimait.

Elle prit un parti fort sage: s'ouvrir à Pesquel-Duport. Elle s'arrangea pour qu'ils allassent ensemble chercher sa mère qui goûtait au golf de Saint-Cloud.[393]

Dans la voiture, pâle, mi-morte, elle déshabilla son 10 cœur.

Pesquel-Duport la savait éprise, mais pas à ce point.

Or, une enquête venait de lui prouver, la veille, que Guillaume, quoique d'une excellente famille, usurpait le titre de Fontenoy. Il se trouvait dans une difficulté extrême. 15 En face des trésors qu'on étalait devant lui, cet excellent homme décida de surseoir. Il dit à Henriette qu'il parlerait à sa mère et qu'il la suppliait de se calmer, d'avoir confiance.

—Agissez vite, s'écria cette vierge avec une voix de vieille maîtresse, nous n'avons pas une minute à perdre. 20 Sauvons-le!

Elle se mouchait, relevait ses mèches, rajustait sa toque; et Pesquel-Duport songeait à son propre amour, à son âge, à Clémence, presque aussi fraîche qu'Henriette.

—Elle me dit qu'elle n'aimera plus, pensait-il. C'est 25 peut-être qu'elle n'a jamais aimé encore. Je la crois plus jeune, beaucoup plus jeune que sa fille.

L'automobile roulait. Henriette se taisait, tournait vers le paysage une figure hagarde.

Pesquel-Duport poursuivait, à part soi: Il y a bien[394] son 30 enthousiasme pour Guillaume. Cependant, lorsque ces choses-là sont sérieuses, elles se cachent. Mais elle est si neuve qu'elle est capable d'aimer sans le savoir, de se rendre plus lentement compte que sa fille.

Il se demandait la conduite à suivre. 35

Voici la manœuvre qu'il combina.

Cette manœuvre était d'un goût détestable, rude et pé-

[392] **Elle n'en était . . . de ses tourments** She had passed the point of lamenting the fact that such a woman should meddle in her torments.

[393] **qui goûtait au golf de Saint-Cloud** who was having a snack at the Saint-Cloud golf club. *Saint-Cloud is the former residence of Napoleon I and Napoleon III; it is surrounded by a magnificent park.*

[394] **Il y a bien** Of course, there is.

rilleuse. Mais il aimait, et l'amour s'encombre peu de délicatesse, de douceur, de sécurité.

Il apprendrait à Clémence que sa fille aimait Guillaume 40
et la pousserait à la lui donner. Ainsi, d'une part, verrait-il
l'effet de cette nouvelle et s'il touchait une mère ou une
rivale, d'autre part, il ne l'engagerait pas beaucoup, puis-
qu'en dernier ressort, la découverte du faux nom et de l'âge
de Guillaume romprait les fiançailles. Le directeur comptait 45
sur ce coup de théâtre bien amené[395] pour guérir Henriette.

Le soir même, un ami qui dînait avec eux allait au concert et les laissa seuls. Une fois Henriette dans sa chambre.[396]
Pesquel-Duport exécuta son programme.

—Mon Dieu! s'écria la princesse. La sotte! Elle aime, et 50
elle se cache. Mais, directeur, je tombe des nues.[397] Et Guillaume l'aime? Quel bonheur! Quand je pense que j'ai pu
épouser Bormes. Suis-je assez stupide, assez niaise, assez dis-
traite. Tenez . . . je mérite tout ce qu'on me reproche.

Pesquel-Duport n'en revenait pas.[398] Cette femme devait 55
le dérouter toujours.

Son effervescence lui fit mettre les freins.[399] Il objecta
qu'il faudrait attendre, se renseigner, que la fortune. . . .

—La fortune! interrompit la princesse. Laissez donc.
D'abord, qui vous dit que Guillaume est pauvre? Les Fon- 60
tenoy sont riches. Je donne à Henriette ce qu'il faut. D'ailleurs (elle éclata de rire), nous perdons la tête, mon pauvre
directeur. Nous sommes aussi naïfs l'un que l'autre. Nous
voilà, parlant sérieusement d'une chose qui n'existe pas. Henriette ne connaît rien à rien. Guillaume a dix-neuf ans. C'est 65
le premier garçon qu'elle rencontre. Elle se croit amoureuse
de lui. Elle ne l'est pas. Moi, aussi, je suis amoureuse de Guillaume. Mais ce n'est pas l'amour.

---

[395] **ce coup de théâtre bien amené**   this well-prepared sudden turn of
events.
[396] **Une fois Henriette dans sa chambre**   Once Henriette was in her
room.
[397] **je tombe des nues**   I am thunderstruck.
[398] **n'en revenait pas**   could not get over it.
[399] **mettre les freins**   put on the brakes.

La princesse prenait un air grave pour émettre ces extravagances. Du geste, elle empêchait Pesquel-Duport d'ouvrir la bouche. 70

En l'écoutant, il sentait revenir ses inquiétudes.

—Je ne veux pas, continua Clémence, marier Henriette à la légère,[400] ni donner à Guillaume une femme qui s'en lasse au bout de quinze jours. Vous me voyez avec un 75 gendre sur les bras.

Ce mot de gendre, appliqué à Guillaume, la jeta dans de nouveaux éclats de rire.

—C'est une folle, se dit sérieusement Pesquel-Duport; mais une folle dont je suis fou. 80

Après son rire, la princesse demanda des détails. Le directeur s'embrouillait, atténuait la scène de l'automobile.

—Tenez,[401] dit Clémence, vous n'êtes bon qu'à faire des articles. Taisez-vous. Je vais employer un moyen très simple. Je vais interroger Henriette. 85

Elle se leva et disparut.

Pesquel-Duport s'enfouit la figure dans les mains. Cet homme de poigne[402] avait les larmes aux yeux.

A quoi lui servait une poigne? On ne pouvait saisir Clémence. Elle glissait, se retournait, s'évaporait. Il la sentait 90 irréelle, sans masse. Il se répétait:

—J'aime une folle; j'aime une fée. Aime-t-elle Guillaume? Non. Elle n'aime personne. Elle ne s'aime pas. Elle n'aime pas sa fille. Elle n'est ni coquette, ni mère. Elle a un autre destin qui m'échappe. 95

Du reste, c'est plus simple. Je la crois fée; elle n'est que légère comme on ne l'est pas. Aime-t-elle Guillaume sans le savoir? Alors, j'aurais une chance. Elle m'aime peut-être, sans le savoir. Elle nous aime peut-être tous les deux.

Pesquel-Duport déraillait, trébuchait, tournait en rond. 100

Lorsqu'il s'éveilla d'un demi-sommeil provoqué par le feu, il regarda l'heure.

La princesse était allée chez Henriette à onze heures. Il était une heure du matin. Il croyait attendre depuis cinq minutes. Car la douleur, le doute, et même le feu d'une 105 cheminée, découpent le temps à leur fantaisie.

---

[400] **à la légère** lightly.
[401] **Tenez** Look here.
[402] **Cet homme de poigne** This strong man; **poigne** firm grip.

Pesquel-Duport était assez intime avenue Montaigne pour enfreindre l'étiquette. Il alla écouter à la porte de la jeune fille, entendit des sanglots, frappa, entra.

Madame de Bormes était assise sur le lit. Mère et fille 110 se tenaient embrassées et pleuraient.

—Entrez! entrez vite! s'écria la princesse. Venez dire à cette petite amoureuse qu'elle aura son Guillaume, qu'elle sera sa femme, que je le lui promets.

*L*a princesse, la visite au front du Nord s'éloignant, commençait à s'ennuyer.

Sa fille la sauva.

Le lendemain des aveux, elle portait cinq ans de moins que la veille.   5

Henriette l'embrassait, la caressait, admirait ce chef-d'œuvre: une mère qui, loin de sermonner, de briser l'élan de la jeunesse, lui imprime une impulsion plus vive.

A la suite d'une conférence interminable, où chacune donnait son avis, il fut décidé qu'Henriette écrirait à Guil- 10 laume. La princesse trouvait normal que les femmes fissent le premier pas.

Elle ajouterait à la lettre un postscriptum, qui lui ôterait toute apparence clandestine.

—Sois tranquille,[403] dit-elle à Henriette, je ne lirai rien. 15

Henriette s'enferma dans sa chambre, regarda le portrait de Guillaume et écrivit:

"Mon cher Guillaume,

"Je ne sais de quelle façon commencer cette lettre. Je voudrais vous l'écrire très courte, parce que je ne suis pas 20 adroite et que ce que j'ai à vous dire est bien simple. Mon cher Guillaume, ne commettez aucune imprudence:[404] Je vous aime *aussi*.

"Je ne veux pas dire que je vous aime comme maman vous aime, ni comme j'aime maman. Je vous aime d'amour. 25 J'en suis malade et très heureuse. Mais j'ai peur.

"J'ai compris que vous évitiez la maison par délicatesse,

---

[403] **Sois tranquille**   Don't worry.
[404] **ne commettez aucune imprudence**   don't do anything rash.

à votre joie sincère de nous voir arriver à la Panne. Car si vous vouliez nous fuir pour d'autres raisons, notre surprise vous aurait été plutôt désagréable.   30

"Mon cher Guillaume, maman et moi, nous étions contentes d'entendre les soldats faire votre éloge, mais je n'ai pas besoin d'eux pour vous connaître.

"J'ai peur que vous vous exposiez plus qu'on ne vous le demande et que vous risquiez votre vie dix fois, pendant que 35 les autres la risquent une fois.

"Si je vous écris cette lettre si difficile et qui me donne tant de mal, parce que j'aimerais mieux vous parler, vous tenir la main, c'est que je voudrais que vous vous ménagiez pour moi, pour nous, pour notre avenir. Maman est si bonne 40 que vous ne pouvez pas savoir. C'est elle qui me permet de vous écrire et qui me dit de vous écrire vite pour gagner du temps.

"Mon cher Guillaume, répondez-moi. Dites-moi si vous m'aimez comme je vous aime et si vous êtes heureux de ce 45 que maman consente à notre bonheur.

"Je vous quitte, parce que j'ai envie de pleurer et que je répéterais toujours la même chose. Mon cher Guillaume,
"Je vous embrasse."

Sans lire cette lettre, la princesse ajouta au bas de la 50 feuille:
"C'est du propre."[405]

[405] **C'est du propre**   That's quite a mess you've made.

A six heures du soir, dès que Pajot fut enterré, que sa cantine[406] fut en ordre et les déclarations en règle, Roy et Guillaume remontèrent en ligne délivrer Combescure qui remplaçait Roy pour vingt-quatre heures.

Ils firent la route à pied, car la voiture qui pouvait les ₅ mettre au pont de Nieuport-Ville avait eu son moteur démoli par un shrapnell, près du Bois-Triangulaire.

Le trajet était moins pénible pour Roy qu'avec ses hommes,[407] car il marchait en promeneur, et ne portait pas, suspendue autour de lui comme à un mât de cocagne,[408] une ₁₀ charge d'objets lourds. Mais sa charge était d'un autre ordre. Son cœur lui pesait plus que cet appareil.

Pourtant, les morts comptaient peu dans le secteur.

Malgré que la mort civile soit distribuée à chacun de nous, elle n'en conserve pas moins du prestige. ₁₅

Il arrive même que la mort décerne un brevet de bonne vie et mœurs.[409] Hé! pense-t-on, malgré soi, cet homme vient de mourir. Il est tout de même mort. Ce n'était donc pas un homme quelconque. Il était peut-être mieux que ce dont il avait l'air. ₂₀

Mais, aux lignes, comme si la fréquence de la mort, les blessures et les risques ininterrompus fissent chaque homme mourir plusieurs fois, la mort, mise en petite monnaie,[410] perdait sa valeur.

Son change était le plus bas possible. ₂₅

Aussi le dialecte du secteur semblait-il féroce à qui venait du pays-de-la-mort-rare.

En effet, on ne disait pas: "Pauvre un tel," mais: "Il n'avait qu'à prendre le refuge."[411]

[406] **cantine**   footlocker.
[407] **qu'avec ses hommes**   than when he was with his men.
[408] **un mât de cocagne**   a greased pole. *Cocteau refers here to a traditional country contest which involves shinning up a greased pole to reach the prizes suspended from the top. In World War I the soldiers carried heavy equipment with them.*
[409] **un brevet de bonne vie et mœurs**   a good conduct certificate.
[410] **mise en petite monnaie**   reduced to small change. *Thus in the following sentence:* **son change**   its rate of exchange.
[411] **"Pauvre un tel"** . . . **"Il n'avait qu'à prendre le refuge"**   "Poor so and so" . . . "He should have taken cover."

On parlait des obus comme d'autobus, comme des 30
dangers de Paris qu'un myope ou qu'un provincial n'évite
pas.

La mort de Pajot fit exception à la règle. Elle amputait le
corps de la villa des fusiliers d'un de ses membres, et Roy
était indirectement cause de l'amputation.   35

—Je l'ai tué, disait-il, comme si ma lampe de poche était
une arme.

Cette circonstance eût suffi pour rendre à la mort de
Pajot une gravité civile.

Guillaume et Roy traversaient donc la campagne en 40
silence. Le vent attisait une braise de son plaintif dans les
petites veilleuses que les poteaux télégraphiques portent en
haut comme le muguet.[412]

Roy, de mère bretonne,[413] était superstitieux. Il entendait l'âme de Pajot se plaindre.   45

Il serrait, pinçait le bras de Guillaume et se mordait les
lèvres comme un enfant qui essaye de ne pas pleurer.

Retourner à Saint-Georges, c'était retourner sur le lieu
du crime. Il se félicitait de l'accident survenu à l'automobile[414] et qui retardait la confrontation.   50

Guillaume avait beau plaider la coïncidence, les balles
mortes,[415] la difficulté de viser une tête visible une seconde,
Roy s'obstinait dans le remords.

—Sa famille . . . murmurait-il, . . . sa pauvre famille. Il
partait voir sa famille. Il me suppliait de ne pas faire l'im- 55
bécile. C'est trop affreux.

*T*out à coup, éclata dans l'ombre une musique extraordinaire. C'était la nouba[416] des tirailleurs nègres. Ils traversaient
Coxyde-ville.

---

[412] **Le vent attisait . . . comme le muguet**   The wind was poking up
cinders of doleful sound in the little night lamps that telegraph poles,
like lilies of the valley, carry at their tops.

[413] **bretonne** *fem.*, **breton** *m.*   *From Brittany, province in northwestern
France.*

[414] **Il se félicitait de l'accident survenu à l'automobile**   he was thankful
for the accident which befell the automobile.

[415] **les balles mortes**   the spent bullets.

[416] **la nouba**   *Military band (usually Algerian) composed of native instruments. The* **tirailleurs nègres** *are Senegalese soldiers (Senegal, former French colony on the western coast of Africa.)*

La nouba se compose d'un galoubet[417] indigène que les
soldats imitent en se bouchant le nez,[418] en prenant une voix
de tête, et frappant leur pomme d'Adam. Ce galoubet nasil-
lard joue seul une mélodie haute et funèbre. On dirait la
voix de Jézabel.[419] Les tambours et les clairons lui répondent.

La troupe s'approchait comme le cortège de l'Arche
d'Alliance[420] sur la route de Jérusalem. Roy et Guillaume se
rangèrent et la virent passer.

Les nègres venaient de Dunkerque, stupéfaits de froid et
de fatigue. Ils étaient couverts de châles, de mantilles, de
mitaines, de sacs, de gamelles, de cartouches, d'armes, de
dépouilles opimes,[421] d'amulettes, de colliers de verroterie et
de bracelets de dents.

Le bas de leur corps marchait; le haut dansait sur la
musique. Elle les soutenait, les soulevait. Leurs têtes, leurs
bras, leurs épaules, leurs ventres, remuaient, doucement
bercés par cet opium sauvage. Leurs pieds ne marchant plus
d'accord traînaient dans la boue. On entendait ces pieds
mâcher cette boue et le choc des crosses contre la boîte à
masque, pendant les silences; puis le solo sortait du fond du
désert, du fond des âges, salué par les cuivres et les tambours.

La nouba, qui amusait Guillaume, trouait le cœur[422] de
son camarade. Sa plainte funèbre accompagnait son deuil.
Il revoyait des voyages avec Pajot, leur navire, leurs escales,
leurs bordées dans les ports d'Orient.

Ils reprirent leur promenade sans échanger une parole.

Le Bois-Triangulaire tonnait comme une chasse royale.
A Nieuport, le cimetière des fusiliers marins reposait près de
l'église informe. Plus loin que Nieuport, du boyau qui
menait à Saint-Georges, on voyait à droite, émergeant de
l'inondation, une carcasse de ferme, dite:[423] Vache-Crevée.

L'auteur de ce surnom, adopté sur les cartes d'état-major,
était une jeune Anglaise, miss Elisabeth Hart.

[417] **un galoubet** *A primitive reed instrument.*
[418] **en se bouchant le nez** holding their noses.
[419] **Jézabel** *Biblical queen whose wicked life ended in her being de-voured by dogs* (I Kings 21).
[420] **l'Arche d'Alliance** the Arc of the Covenant.
[421] **dépouilles opimes** *From the Latin "spolia opima," spoils that a victorious Roman general would take from the enemy general he had killed.*
[422] **trouait le cœur** pierced the heart.
[423] **une carcasse de ferme, dite** a skeleton of a farm, nicknamed.

Miss Hart, que tout le monde appelait miss Elisabeth, était la fille du général des troupes anglaises du secteur.

Sous prétexte de Red-Cross, elle pilotait une ambulance de poche[424] et vivait avec les fusiliers marins.   40

Chez une Française, ce genre d'existence choquerait. Mais Elisabeth Hart était un vrai garçon, un diable. Elle s'habillait presque en matelot. Elle portait des cheveux courts, bouclés autour d'une figure d'ange.

Elle offrait plus d'un rapport avec les amazones mo- 45 dernes du film américain, sauf qu'on ne la voyait jamais trembler. Elle allait, venait, de La Panne aux lignes, et laissait son ambulance n'importe où, comme dans les rues de Londres. Sa crânerie indisposait le colonel des zouaves. Il la trouvait sans-gêne.[425] Aussi,[426] négligeait-elle le secteur-mer 50 pour le secteur-inondations.

Les fusiliers en faisaient une sainte.

C'était, d'ailleurs, sans aucun doute, une héroïne. La condition même de l'héroïsme étant le libre arbitre, la désobéissance, l'absurde, l'exceptionnel.   55

De plus, elle lisait dans la main.[427]

Lorsque Guillaume et Roy arrivèrent à Saint-Georges, elle était assise dans la guitoune[428] de Roy et buvait du porto avec Combescure. Elle revenait d'une longue permission. Elle ne connaissait pas Guillaume. Elle parlait avec un accent 60 agréable.

Attentive à prononcer nos *r* et ne pouvant les prononcer de la gorge, elle les roulait au bout de sa langue. Elle gronda Roy de ses scrupules.

Combescure voulait qu'elle lût dans la main de Guil- 65 laume.

La tâche de chiromancienne sincère était épineuse, au front. Elle se récusait.[429] Guillaume insista.

[424] **une ambulance de poche**   a small ambulance.
[425] **sans-gêne**   over-familiar
[426] **Aussi**   Therefore.
[427] **elle lisait dans la main**   she read palms.
[428] **la guitoune**   dugout (*military term*).
[429] **Elle se récusait**   She said she could not.

En voyant la paume de cette main, le visage de la jeune Anglaise eut une expression tellement surprise que Com- 70 bescure et Roy lui en demandèrent la raison.

—Par exemple! . . . répondit Elisabeth. Je n'ai jamais rencontré une main pareille. Il n'a pas une ligne de vie; il en a plusieurs.

—Et ma mort, ou . . . mes morts? interrogea Guillaume. 75

—Vous savez, dit-elle, je ne suis pas très forte.[430] Je vois l'ensemble. Votre ensemble est bon.

Combescure et miss Hart partirent. Elle le véhiculait jusqu'à Coxyde.

—Quelle femme! dit Guillaume à Roy. C'est une mer- 80 veille.

—Encore une victime d'Elisabeth. On ne compte plus ses morts, plaisanta le jeune capitaine. C'est une fille brave et une brave fille,[431] ce qui vaut mille fois mieux.

Il souhaitait se taire. Guillaume le comprit. Les ordres 85 de Roy donnés, il proposa une pàrtie de cartes.

La guitoune du capitaine Roy était la seule habitable de Saint-Georges. L'eau rendait le travail de la terre presque impossible. Elle fournissait une excuse à la folle insouciance des marins. Leur système d'abris était aux tranchées des 90 zouaves ce qu'une ruche d'arbre est à[432] une ruche d'apiculteur.

On ne s'y garantissait ni de l'eau ni du feu.

Cette insouciance d'hommes toujours bercés de houle et de hamac, voire par l'esprit de corps lorsqu'ils n'avaient 95 point navigué, se fortifiait de ce qu'[433]une heure de bombardement bouleverse un travail de cinq semaines.

Souvent, après un essai d'attaque allemande, les zouaves souffraient moins de leurs blessures que de leur amour-propre d'architectes. 100

---

[430] **je ne suis pas très forte**   I am not too good at this.
[431] **une brave fille**   a good sort, a fine girl.
[432] **était aux tranchées des zouaves ce qu'une ruche d'arbre est à**   was to the Zouaves' trenches what a hive in a tree is to.
[433] **Cette insouciance . . . se fortifiait de ce qu'**   This lack of concern . . . was enhanced by the fact that. *In this sentence* **bercés** *is followed by* **de** *and* **par,** *both meaning* by.

Seule la tendresse des fusiliers pour leurs chefs les avait décidés à bâtir une cabine avec d'étonnantes mains de couturières, qui savent d'un béret à pompon rouge faire une merveille d'élégance et nouer une corde comme des initiales d'amour.[434]

Ce segment était donc fort dangereux, et ils y perdaient beaucoup d'effectifs.

105

Roy souhaitait le silence et jouait en silence.

Dehors, on n'entendait, de loin en loin,[435] que ces coups de feu qu'il semblait qu'on tirât pour entretenir la guerre.

110

*U*ne fusillade très proche retentit.

Elle se prolongeait. Roy posa ses cartes et alla aux renseignements.

—Ce sont, dit-il à Guillaume en reprenant ses cartes, nos messieurs[436] qui s'amusent. Plouardec et Lulu qui gardent le poste d'écoute jouent à la manille et ont imaginé d'annoncer leurs points à coups de fusil. C'est économique. Je les ai fait taire.

5

Les marins n'ont pas avec leurs chefs les rapports des autres soldats, qu'ils surnomment: les guerriers. Par exemple, ils saluent ces chefs comme les chefs d'infanterie répondant à un deuxième classe,[437] et joignent à ce geste un petit rictus amical.

10

Douze minutes après les remonstrances de Roy, les coups de fusil recommencèrent de plus belle.[438]

15

Roy, souriait, furieux.

—Cette fois, dit-il, on dépasse les bornes. Je vais punir. Viens, Guillaume.

[434] **avec d'étonnantes mains de couturières . . . des initiales d'amour** with wonderful seamstress hands which know how to make of a beret with a red pompom a marvel of elegance and how to knot a string like lovers' initials.

[435] **de loin en loin**   every once in a while.

[436] **nos messieurs**   our Lordships.

[437] **un deuxième classe**   a private.

[438] **de plus belle**   with renewed vigor.

Ils allaient atteindre la plate-forme qui précède les trous d'écoute, lorsqu'une voix assez lointaine, mais très nette, 20 très forte, s'éleva:

—Galopins! glapissait-elle,[439] en excellent français, vous vous amusez à empêcher le monde de dormir. Attendez que j'avertisse vos chefs!

"Que j'avertisse vos chefs" signifiait: commander un tir. 25

—Ils tirent par mon ordre, hurla Roy.

Tout, voix allemande et fusillade, rentra dans le silence.

Les sanctions, de part et d'autre, s'arrêtèrent là.

Ce dialogue est peu vraisemblable pour les gens qui ne connaissent pas l'esprit de voisinage d'une longue guerre, 30 l'esprit de famille des marins.

La partie de cartes, reprise, s'éternisait, lorsque le téléphone grésilla. Roy décrocha le récepteur. On entendait mal. Les fils, posés à la six-quatre-deux,[440] en croisaient, en touchaient d'autres. La rumeur du secteur habitait l'appareil 35 comme celle de l'océan un coquillage.

—Impossible de comprendre, dit-il. Je raccroche. Je ne comprends qu'une chose par bribes, c'est que c'est le poste F (le poste F se trouvait à cinq kilomètres) et qu'ils ne peuvent m'envoyer personne. Moi non plus, je n'ai per- 40 sonne. Les boyaux sont chambardés par les torpilles d'avant-hier. Il y en a la plus longue partie découverte. Je n'ai pas envie d'exposer un gamin pour un message. Mes idiots n'ont aucun sens du danger. Ils ne veulent pas allonger la route et comprendre qu'on ne siffle pas, qu'on n'imite pas le chien, 45 qu'on ne crâne pas,[441] à trente mètres des Allemands.

—C'est très simple, dit alors Guillaume. Moi, je ne siffle pas et je n'imite pas le chien. Au besoin même, je rampe. Je n'ai qu'à faire le grand tour.[442] J'y vais.

---

[439] **Galopins! glapissait-elle** You little brazen brats! it yelped (*reaction of a German officer in the neighboring trenches*).

[440] **posés à la six-quatre-deux** laid in slap-dash manner.

[441] **on ne crâne pas** one does not show off.

[442] **Je n'ai qu'à faire le grand tour.** All I have to do is take the long way around.

Roy refusa. Guillaume insista. Comme Roy désirait 50
secrètement rester seul avec son chagrin, que le grand tour
n'était pas dangereux, et que, secrètement, Guillaume jubi-
lait de cette course nocturne, ils finirent par s'entendre.
Guillaume irait et reviendrait, séance tenante,[443] porter
son message chez Roy.   55

*L*a nuit froide était constellée de fusées blanches et d'astres.
Guillaume s'y trouvait, pour la première fois, seul. Un
dernier rideau se lève. L'enfant et la féerie se confondent.
Guillaume connaît enfin l'amour.

Au lieu de prendre la rallonge, il suivit le parapet de 5
première ligne jusqu'au polder[444] où il fallut ramper. Breuil
et lui excellaient à cet exercice peau rouge.[445]

Après quelques mètres, il rencontra un cadavre.

Une âme avait ôté ce corps en hâte,[446] n'importe comment. Il l'inspecta d'un œil curieux et dur.   10

Il continua. Il croisait d'autres cadavres jetés par le
massacre comme le col, les bottines, la cravate, la chemise
d'un ivrogne qui se déshabille.

La boue rendait le quatre-pattes difficile.[447] Quelquefois
elle veloute la marche, quelquefois, elle cherche à retenir, 15
avec un gros baiser de nourrice.

Guillaume s'arrêtait, attendait, et repartait. Il vivait là
de toutes ses forces.

Il ne pensait ni à Henriette, ni à madame de Bormes,
lorsque, soudain, l'image de madame de Bormes lui apparut. 20

Il venait de reconnaître, défiguré par les torpilles, l'endroit du boyau où, quelques jours avant, elle s'était plainte
d'angoisse.

—Tout de même, se dit-il, nous avons eu de la chance.

[443] **séance tenante** without delay.
[444] **polder** *Dutch word meaning lands reclaimed from the sea, it has
come to mean swampy ground.*
[445] **peau rouge** Redskin, American Indian.
[446] **Une âme . . . en hâte** *In speaking of death one speaks of the soul
leaving the body. Cocteau is here describing a corpse as if it were a
body abandoned recklessly by a soul in its haste to leave the **earth**.*
[447] **le quatre-pattes** the going on all fours.

On croit toujours le secteur trop calme. La princesse flairait 25
plus loin que nous. On dirait qu'elle avait pressenti la mort
de cette tranchée.

Un amoncellement de chevaux de frise[448] et de fil de fer
barbelé[449] obstruait le passage.

Pour passer à gauche, il fallait entrer dans l'eau jus- 30
qu'aux cuisses. Guillaume prit à droite.

Il débouchait en terre ferme et se félicitait d'une complète absence de fusées éclairantes, lorsqu'il stoppa net.

En face, à quelque distance, on distinguait le bloc d'une
patrouille ennemie.   35

Cette patrouille voyait Guillaume et ne bougeait pas.
Elle se croyait invisible.

Le cœur de Guillaume sautait en cadence, battait des
coups sourds de mineur au fond d'une mine.

L'immobilité lui devint intolérable. Il crut entendre un 40
qui-vive.

—Fontenoy! cria-t-il à tue-tête,[450] transformant son imposture en cri de guerre. Et il ajouta, pour faire une farce,
en se sauvant à toutes jambes: Guillaume II.[451]

Guillaume volait, bondissait, dévalait comme un lièvre. 45
N'entendant pas de fusillade, il s'arrêta, se retourna, hors
d'haleine.

Alors, il sentit un atroce coup de bâton sur la poitrine.
Il tomba. Il devenait sourd, aveugle.

—Une balle, se dit-il. *Je suis perdu si je ne fais pas sem-* 50
blant d'être mort.

Mais en lui, la fiction et la réalité ne formaient qu'un.
Guillaume Thomas était mort.

[448] **chevaux de frise**   *Beams bristling with spikes.*
[449] **fil de fer barbelé**   barbed wire.
[450] **à tue-tête**   at the top of his voice.
[451] **Et il ajouta, pour faire une farce, en se sauvant à toutes jambes:
Guillaume II**   And to make a joke, he added, making off as fast as he
could: Guillaume II (*the name of the German Emperor*).

*L*a première personne prévenue à Paris fut Pesquel-Duport. On prévenait en lui l'organisateur des cantines.[452]

Cet homme de cœur ne pouvait croire la chose, malgré les preuves.

Il prévoyait le coup de foudre de cette nouvelle avenue Montaigne. Il souffrait de la souffrance de madame de Bormes.

Ce qu'il ne s'avouait pas, ou s'avouait à demi, c'est que cette mort, pour être une solution terrible,[453] n'en était pas moins une solution. Elle mettait un point final à cette aventure et lui permettait de garder le secret sur le mensonge Fontenoy.

—Pauvre Guillaume, se dit-il. Le faux oncle ne désavouerait pas un tel neveu. Tué au nord, il mérite l'épitaphe de l'enfant Septentrion:[454] Dansa deux jours et plut.

Il fallait prévenir sa tante et les femmes. Le directeur, qui souhaitait retarder la seconde démarche, mais ne voulait pas que ces malheureuses apprissent le désastre indirectement, décida de se rendre chez la tante de Guillaume, et, ensuite, avenue Montaigne.

Il comptait sans madame Valiche.

Pendant qu'il remplissait à Montmartre son triste office et que mademoiselle Thomas, après un silence, prononçait ces paroles qui étonnèrent l'incrédule: "Merci, Monsieur. Je le verrai bientôt. Je lui raconterai votre visite," madame

[452] **On prévenait en lui l'organisateur des cantines** He was informed as organizer of the canteens.

[453] **pour être une solution terrible** although it was a dreadful solution.

[454] **l'enfant Septentrion** *Cocteau mentions in his* Journal d'un Inconnu *a monument to the child Septentrion erected at Antibes (on the Mediterranean). It bears the following inscription: "Danced three days and died." Septentrion symbolizes the "mistral," a north wind which blows for periods of three days at a time. Cocteau has somewhat changed the phrasing of the "epitaph"* (**plut** rained).

Valiche tournait l'angle de l'avenue Montaigne et du rond-point des Champs-Élysées.[455]

Elle ne digérait ni la promenade aux lignes, ni le wagon, ni le triomphe de la princesse, ni le convoi désagrégé par un 30 caprice de Guillaume.

Sa vengeance agissait.

Ce vampire savait toutes les morts, de Belgique en Alsace,[456] avant le reste du monde. Elle connaissait celle de Guillaume par un frère de Gentil, major à Zuydecôte, arrivé 35 en permission le matin.

Il la lui avait offerte[457] sous la forme suivante: "Un crâneur,[458] n'ayant que ce qu'il mérite." Aussi la portait-elle, encore chaude, à Henriette et à madame de Bormes.

Ces deux femmes qui n'osaient trop s'écarter de l'ap- 40 partement par crainte de manquer d'une minute la réponse de Guillaume à la lettre d'Henriette, sortaient faire des courses.

Elles rencontrèrent madame Valiche dans le vestibule. Son air grave les effraya. Elles revinrent avec elle dans le 45 salon.

Madame Valiche savait envoyer le couteau.[459]

—Je l'avais dit, prononça-t-elle simplement.

Henriette fut la première à entrevoir le malheur.

Elle sauta sur madame Valiche.   50

En l'espace d'une seconde, la misérable acheva ses victimes. Lorsque Pesquel-Duport entra dans le salon, il ne vint que pour la curée.[460]

Madame de Bormes et sa fille hurlaient, arrachaient

[455] **rond-point des Champs-Elysées** *Important intersection of the Champs-Elysées and two other avenues.*
[456] **de Belgique en Alsace** *i.e., from one end of the front to the other.*
[457] **Il la lui avait offerte** *Note that here, as in* **Aussi la portait-elle, la** = la mort de Guillaume.
[458] **un crâneur** a show-off.
[459] **envoyer le couteau** to throw a knife.
[460] **la curée** *the entrails and blood of the prey left by hunters to their dogs.*

leurs robes. Debout, en face d'elles, madame Valiche inven- 55
tait des détails.

Pesquel-Duport l'empoigna par sa jupe.

—Vous! . . . vous! . . . étranglait-il, vous allez me faire
le plaisir de décamper—et plus vite.

Il la secouait, la traînait vers la porte du vestibule. Il 60
l'eût écrasée.

Il la jeta dehors.

Qu'importait à madame Valiche?

Elle rajusta son chapeau, descendit les marches quatre
à quatre, vola chez elle.   65

Gentil, à table, attaquait les hors-d'œuvre.

—Applaudissez-moi, s'écria-t-elle du seuil. J'ai vu ce
que je voulais voir. La mère et la fille. Coup double.[461]

Elle espérait éblouir enfin cet homme qu'elle adorait,
qui profitait d'elle et savait l'influence, sur les hystériques, 70
d'une feinte impassibilité.

—Mœurs de la haute, dit-il, sans plus,[462] en beurrant
une tartine.

Madame Valiche, ivre d'amour et de haine satisfaite,
contempla cet homme qui mangeait, vivait, au-dessus de 75
l'étonnement.

—Docteur, bégaya-t-elle, vous êtes un dieu.

—Il n'y a pas de dieux, madame. J'y vois clair,[463] voilà
tout.

Mademoiselle de Bormes ne put supporter les suites du
choc.

Madame de Bormes l'emmena dans un sanatorium d'Au-
teuil. Elle mourut deux mois après d'une maladie nerveuse
qui n'était pas mortelle. C'est dire que, malgré les précau- 5
tions, elle s'empoisonna.

Du jour au lendemain, sa mère devint une femme âgée.
Elle ne voyait que Pesquel-Duport.

—Marions-nous, disait-il. Vous ne pouvez vivre seule.

[461] **Coup double**   Two birds with one stone.
[462] **Mœurs de la haute, dit-il, sans plus**   Upper-class manners, he said,
nothing more.
[463] **J'y vois clair**   I see through it.

—Attendez, répondait la princesse. Maintenant, c'est 10
vous qui êtes trop jeune. Nous n'avons guère de chance avec
nos âges. Mais ils finiront bien par se rejoindre un jour.

A Nieuport, près de l'église, le cimetière des marins est un
brick à la dérive.[464]

Un mât cassé marque le milieu.

Ce brick transporte-t-il de l'opium? Un profond sommeil
emplit l'équipage.   5

Chaque tombe étale un joli décor de coquilles, de cail-
loux, de vieux chenets, de vieux cadres, de vieux balustres.
Une d'elles porte le nom de Jacques Roy.

Jacques Roy s'est éteint[465] en quatre heures au poste de
secours de Nieuport, d'une blessure prise à Saint-Georges, 10
heureux de venger Pajot et Guillaume qu'il imaginait tués
par sa faute.

Sa croix porte l'inscription réglementaire.

Mais, sur la croix voisine, on peut lire: "G.-T. de Fontenoy. Mort pour nous."   15

Cap Négre
1922.

[464] **un brick à la dérive**   a brig adrift.
[465] **s'est éteint**   passed away.

TABLE DES MATIERES

VOCABULARY

A

abandonner to give up, let go
abattoir *m.* slaughter house
(s')abattre to swoop down
abécédaire *m.* speller, primer
abri *m.* shelter
abriter to shelter
accablé(e) overcome, overwhelmed
accalmie *f.* lull
accéder (à) to have access (to); to lead (to)
accessit *m.* (graduated) honorable mention
accessoire *m.* accessory, prop
accident *m.* accident; **d'——** chance
acclamer to greet with cheers
accommoder to adapt
accompagner to accompany
accord *m.* agreement; **d'——** in agreement, in tune
accourir to hasten, to rush
accréditer to cause (something), to be believed
accrocher to hook, to catch; **s'—— (à)** to cling to
accueil *m.* reception, greeting
accueillir to greet, receive
acheter to buy
achever to finish off
acoustique acoustical; **tuyau —— ** speaking tube

action *f.* act; **—— d'éclat** brilliant feat
actrice *f.* actress
actuel(le) current
adjoindre to join, to add
admettre to admit
adoucir to soften, to temper
(s')adresser à to be aimed at
adroit(e) skillful, adroit
aéré(e) aerated, aired
affectation *f.* assignment (*mil.*)
affinité *f.* affinity, similarity of character
affreux(-euse) horrible, ghastly
affût *m.* hiding place; gun carriage; **à l'——** on the lookout
agacer to irritate, to annoy
âge *m.* age; **être d'—— à** to be old enough to
âgé(e) aged, old
agent de liaison *m.* liaison officer
aggraver to aggravate, to heighten
agir to act; **s'——** to concern; **il s'agit de** it's a question of
agiter to wave
agonie *f.* death agony; **lente ——** lingering death
agoniser to be dying

aide *f.* aid, help; **à l'——— de** with the aid of; **——— major** assistant medical officer

aider to help

aigle *m.* eagle

aiguille *f.* needle; **de fil en ———** gradually

aile *f.* wing

ailleurs elsewhere

aimable amiable, friendly

aimer to like, to love

ainsi thus, so

air *m.* appearance; **avoir l'———** to seem

aisance *f.* ease; freedom of movement

aise, être fort ——— to be very glad

ajouter to add

alcool *m.* alcohol

Allemagne *f.* Germany

allemand(e) German

aller to go; **——— aux renseignements** to make inquiries; **——— chercher** to go get; **Allez, donc!** come now! **N'allez pas croire (que)** Don't you believe (that)

allié(e) allied

allonger to stretch out; to grow longer

allumer to light up

alors then

amant *m.* lover

ambitieux(-euse) ambitious; *m. and f.* ambitious person

ambulance *f.* ambulance; first-aid station

âme *f.* soul

amélioration *f.* improvement

(s')améliorer to improve; to get better

aménager to fit out

amener to bring, to bring about

ami *m.* friend

amical(e) friendly

amollir to soften

amoncellement *m.* pile, heap

amorti(e) toned down, subdued

amour *m.* love

amour-propre *m.* vanity

amoureux(-euse) in love; *m. and f.* lover

(s')amuser to have fun, to amuse oneself

an *m.* year

ancien(ne) former

ancre *f.* anchor

ange *m.* angel

anglais(e) English; *m. and f.* Englishman, Englishwoman

angle *m.* corner; angle

angoisse *f.* anguish

animal(e) sensual

année *f.* year

annoncer to announce

antichambre *f.* antechamber, waiting room

apercevoir to see, to catch sight of; **s'———** to realize; to see

apiculteur *m.* bee keeper

(s')apitoyer to feel pity, to commiserate

aplomb *m.* coolness, nerve

apothéose *f.* apotheosis; grand finale

apparaître to appear; to seem

appareil *m.* outfit; gear

appeler to call; **——— au secours** to call for help; **s'———** to be called, to be named

applaudir to applaud; to congratulate

applaudissement *m.* applause

apporter to bring

apprendre to learn; to teach, to inform

appuyer to stress; **s'——** to lean

après after

arbitre, le libre —— free will

arborer to sport

arbre *m.* tree

arme *f.* weapon; **—— à feu** firearm

armée *f.* army

armoire *f.* wardrobe

arracher to tear off, to pull off

arranger to put in order **s'——** to manage, to contrive

arrêt *m.* stop

arrêter to stop; to arrest; **s'——** to stop

arrière *m.* back, rear; **à l'——** behind the lines; **d'——** rear

arrière-petite-fille *f.* great-granddaughter

arrivée *f.* arrival

arriver to arrive; to happen

arrondir to round off

artichaut *m.* artichoke

artifice *m.* guile, contrivance; artifact; **feu d'——** fireworks; **pièce d'——** stationary piece of fireworks, flaring device

artilleur *m.* artilleryman

(s')asseoir to sit down; (*p. part.*) **assis** seated

assez enough; rather

assimilé(e) (à) ranking with

assouplir to make supple, unstiffen

astre *m.* heavenly body, star

astuce *f.* artfulness, wiliness

atroce atrocious

attacher to attach; to put on

atteindre to reach; to hit

(s')atteler (à) to put oneself (to)

attendre to wait for, to await; **s'—— (à)** to expect something

attente *f.* wait; anticipation

attentif(-ive) heedful

atténuer to lessen, to reduce

attirer to attract

attiser to stir up

attraper to catch

attribuer to attribute

aube *f.* dawn

aucun(e) any; none; **aucunement** not at all

audace *f.* audacity

auditeur, auditrice *m. and f.* listener

auprès de next to, near, with

aurore *f.* dawn

aussi also, too; as; therefore

autant as much, so many

autobus *m.* bus

autour de around

autre other; **rien d'——** nothing else; **de part et d'——** here and there

avaler to swallow

avant before

avant-hier *m.* day before yesterday

avantage *m.* advantage

avare greedy, avaricious

avenir *m.* future

aventure *f.* intrigue, adventure

avertir to warn, to give notice

aveu *m.* confession

aveugle blind; *m. and f.* blind person; **aveuglément** blindly

aveugler to blind

avion *m.* airplane

avis *m.* opinion

avoir to have; **—— l'air** to seem; **—— beau** (to do something) in vain; **—— be-**

soin de to need; —— **envie de** to feel like; —— **lieu** to take place; —— **peine à** to find it hard to; —— **peur** to be afraid; —— **seize ans** to be sixteen years old; —— **sommeil** to be sleepy; —— **tort** to be wrong; **Je ne sais ce que j'ai** I don't know what's the matter with me

avouer to admit, to confess

B

bache *f.* tarpaulin
bague *f.* ring, band
(se) baigner to go swimming
baigneur *m.* swimmer
baiser *m.* kiss
baiser to kiss
bal *m.* ball, dance
balancer to swing; to balance; to hesitate, to waver
balle *f.* bullet; —— **morte** spent bullet; —— **perdue** stray bullet
balustres *m. pl.* banister
bande *f.* band (of men, *etc.*); strip; bandage; —— **molletière** strip of cloth wound around the calf of the leg
banquise *f.* icebank
baptême *m.* baptism
barbe *f.* beard
barbelé(e) barbed; **fil de fer** —— barbed wire
barbouiller to smear, to muddle
barrage *m.* barrier
barrer to bar, to block
barrique *f.* barrel, cask
bas(se) low; *m.* lower part; **en** —— below; **au** —— at the bottom
basse-cour *f.* farmyard
bataille *f.* battle

bataillon *m.* battalion
bateau *m.* boat
bâtiment *m.* building
bâtir to build
bâton *m.* stick; **coup de** —— blow (from a stick); **mettre des** ——s **dans les roues** to meddle
battre to beat; —— **monnaie** to coin money; **se** —— to fight
béat(e) blissful
beau, belle beautiful; **avoir** —— (to do something) in vain; **un** —— **jour** one fine day; **bel et bien** actually; **de plus belle** more than ever
beaucoup much, many
bégayer to stammer
belge Belgian; *m. and f.* a Belgian
Belgique *f.* Belgium
bénéfice *m.* benefit
bénéficier (de) to benefit (from)
bénévole voluntary
bénir to bless; **Dieu vous bénisse** God bless you
berceau *m.* cradle
bercer to rock, to lull
berge *f.* bank (of a river)
besogne *f.* work, task
besoin *m.* need; **au** —— if necessary; **avoir** —— **de** to need
bétail *m.* cattle, livestock
bête stupid, foolish
bête *f.* beast, animal
betterave *f.* beet
beurrer to butter
bicoque *f.* shanty, shack
bidon *m.* can
bien well; **bel et** —— actually; —— **que** although; —— **le bonjour** good day

bien *m.* good
bienheureux(-euse) blissful, blessed
bientôt soon
bizarre strange
blâmer to censure
blanc(-che) white
blême pale
blessé(e) wounded; *m. and f.* wounded person
blessure *f.* wound
bleu blue
bloc *m.* block, lump
blouse *f.* smock
boire to drink
bois *m.* wood; forest
boiserie *f.* woodwork
boîte *f.* box; —— **à masque** metallic box for gas masks
boiter to limp
bon(ne) good, righteous; **tenir bon** to stand fast
bond *m.* leap; **faire faux ——** to fail to show up
bondir to leap
bonheur *m.* happiness; success
bonhomie *f.* guilelessness
bonhomme *m.* good-natured man
bonne *f.* maid
bord *m.* board (ship); edge
bordée *f.* spree (*pop.*)
borne *f.* post (of gate); *pl.* limits
(se) borner to limit oneself
bosse *f.* hump
bossu(e) humpbacked
botte *f.* boot; bundle (of straw)
bottine *f.* boot, shoe
bouche *f.* mouth
bouclé(e) curled
boue *f.* mud
bouée *f.* buoy
boueux(-euse) muddy

bouger to move, to stir
bougie *f.* candle
boule *f.* ball
bouleverser to upset
boulon *m.* iron bolt
bourgade *f.* village
bourriche *f.* basket, basketful
bousculer to hustle; to jostle
bout *m.* end; **au —— de** at the end of, after
boute-en-train *m.* live wire (*pop.*)
bouteille *f.* bottle
bouton *m.* button; knob
boutonner to button
boyau *m.* communication trench (*mil.*)
braise *f.* embers
branle *m.* motion; **se mettre en ——** to get going
branle-bas *m.* bustle; **sonner le ——** to sound the call to arms
bras *m.* arm; **sur les ——** on one's hands
brassard *m.* armband
brave brave, good
bravoure *f.* bravery; bravura
brèche *f.* breach
bref in short
bribes *f. pl.* scraps; **par ——** piecemeal
brick *m.* brig
bride *f.* bridle; rein
briser to break, to crush
brouillard *m.* fog
brouiller to mix up; —— **les cartes** to shuffle the cards; to throw things into confusion (*fam.*)
broyer to crush
bruit *m.* noise, sound
brûler to burn; —— **les planches** to act with fire (*theater*); —— **une ville** to go

through a city without stopping
brun(e)   brown
brute *f.*   beast
bruyant(e)   noisy
bûcher *m.*   stake
buffet *m.*   refreshment counter
bureau *m.*   office
but *m.*   goal, end

C

cabale *f.*   plot, conspiracy
cabinet *m.*   office
cacher   to hide
cacheter   to seal
(en) cachette   secretly
cachotterie *f.*   display of secrecy
cadavre *m.*   corpse
cadeau *m.*   gift
cadence *f.*   cadence; **en ——** rhythmically
cadre *m.*   picture frame; *pl.* the ranks
café *m.*   coffee
(se) cailler   to clot
caillou *m.*   pebble
caisse *f.*   box, crate
caisson *m.*   artillery wagon
calcul *m.*   calculation
calculer   to calculate
(se) calmer   to calm down
calot *m.*   soldier's cap
camail *m.*   priest's cape
camarade *m.*   friend, comrade
cambré(e)   curved
campagne *f.*   countryside; **en rase ——**   in the open country
camper   to make camp; encamp
canon *m.*   gun, cannon
canonnade *f.*   gunfire
cantatrice *f.*   singer

caoutchouc *m.*   rubber
capitaine *m.*   captain; **—— au long cours**   sea captain
capote *f.*   overcoat
car   for
caractère *m.*   characteristic; nature, personality
carpe *f.*   carp
carrière *f.*   career
carte *f.*   card; **partie de ——s** card game; **tour de ——s** card trick
cartouche *f.*   cartridge
cas *m.*   case; **en —— de**   in case of
caser   to find a place for
caserne *f.*   barracks
casque *m.*   helmet
casser   to break; **—— la tête (à quelqu'un)**   to drive (someone) crazy; **se —— la figure**   to break one's neck
cause *f.*   cause; **à —— de**   because of
cave *f.*   cellar
c'est à dire   that is to say
céder   to cede, to hand over
ceinture *f.*   belt
cellier *m.*   wine cellar
cent   hundred; **aux —— coups**   at wit's end, to distraction
cent cinquante-cinq   one hundred and fifty-five; *m.* a 155 mm gun
centaine *f.*   about a hundred
cependant   nevertheless
cercle *m.*   circle; club
cercueil *m.*   coffin
certes   most certainly; indeed
certitude *f.*   certainty
cerveau *m.*   brain, intellect
cesser (de)   to cease, to stop
chacun(e)   each, each one
chagrin *m.*   sorrow
chaire *f.*   throne, pulpit
chaise *f.*   chair

châle *m.* shawl
chambarder to smash (*pop.*)
chambre *f.* room, bedroom
chameau *m.* camel
champ *m.* field
champignon *m.* mushroom
chance *f.* chance, luck
chanceler to stagger
change *m.* exchange; rate of exchange
chanson *f.* song; —— de route marching song
chanter to sing; to crow (cock)
chapeau *m.* hat
chaque each
charge *f.* load
charger (de) to load (with); to put (someone) in charge of
chargeur *m.* cartridge clip, charger
charité *f.* charity, love
charmeur(-euse) bewitching, charming
charnier *m.* heap of corpses
chasse *f.* hunt
chasser to hunt; to drive away
chasseur *m.* hunter
chat *m.* cat
chaud(e) warm
chauve bald
chef *m.* leader, chief; head; chirurgien- —— head surgeon
chef-d'œuvre *m.* masterpiece
chemin *m.* road, way; —— de fer railroad train; —— du retour return trip; rebrousser —— to turn back
cheminée *f.* fireplace
chemise *f.* shirt; en —— in shirtsleeves
chemisier *m.* shirt maker
chenet *m.* andiron
cher, chère dear; chèrement dearly

chercher to look for; attempt; aller —— to go get
chéri *m.* darling
chérir to cherish
cheval *m.* horse; monter à —— to go horseback riding
chevelure *f.* head of hair
cheveux *m. pl.* hair
cheville *f.* ankle
chez at, to the house of
chicaner to quibble
chien *m.* dog
chimère *f.* chimera, figment of the imagination
chimérique fanciful
chiromancien(ne) *m. and f.* palm reader
chirurgical(e) surgical
chirurgien *m.* surgeon; —— -chef head surgeon
choc *m.* shock
chœur *m.* chorus
choisir to choose
choquer to shock
chose *f.* thing
chrétien(ne) Christian
chuchoter to whisper
ciel *m.* sky, heaven
cierge *m.* candle
cimetière *m.* cemetery
cinq five
cinquante fifty
cinquante-trois fifty-three
cinquième fifth
circonstance *f.* circumstance
circuler to move around, to circulate
cirque *m.* circus
ciseaux *m. pl.* scissors
citer to cite, to quote
civière *f.* stretcher
civil(e) civilian; *m. and f.* a civilian
clair(e) clear; light; voir —— to see clearly

clair *m.* light; —— **de lune** moonlight
clairon *m.* bugle
claque *f.* slap
cligner to wink
clin *m.* wink; **en un —— d'œil** in the twinkling of an eye
cloison *f.* bulkhead; dividing wall
cœur *m.* heart; **homme de —— ** good-hearted man; **tourner le —— ** to turn one's stomach; **faire contre mauvaise fortune bon —— ** to make the best of a bad thing
coffre-fort *m.* safe
cogner to bump into
coiffe *f.* headdress
coin *m.* corner; **au —— du feu** by the fireside
col *m.* collar
colère *f.* anger
coller to glue, to press
collégien *m.* student, schoolboy
collet *m.* collar
collier *m.* necklace
colline *f.* hill
colonne *f.* column, pillar
colorier to color
colosse *m.* colossus
combiner to concoct
comble *m.* height, highest point; **à son —— ** at its peak; **c'est le —— ** that's the last straw
comédien *m.* player (*theater*)
commander to order
comme like, as
commencer to begin
comment how; what!
commerce *m.* relationship
commère *f.* gossip, busybody
commettre to commit

commode easy
commode *f.* chest of drawers
commun common, mutual
communiquer to transmit, to impart
commutateur *m.* light switch
compagnon *m.* companion; —— **de route** fellow traveler
comparse *m.* walk-on player (*theater*)
complice *m.* accomplice
compliquer to complicate
comploter to plot, to conspire
(se) composer (de) to be made up (of), to consist (of)
comprendre to understand; to comprise; **y —— ** including
compromettre to compromise
compte *m.* account; **rendre —— de** to give an account of; **se rendre —— (de, que)** to realize, to be aware (of, that); **sur (son) —— ** about him; **mis sur le —— de** attributed to
compte-gouttes *m.* eye dropper
compter to expect
comte *m.* count
concierge *m. and f.* caretaker, porter
conciliabule *m.* secret conference
concourir (à) to converge, to combine
condamné *m.* condemned man
conditions *f. pl.* circumstances
conducteur *m.* driver
conduire to drive
conduite *f.* conduct
confiance *f.* confidence
confier to entrust, to consign
confiture *f.* jam, preserves

confondre to confuse; **se** —— to merge into one another
congé *m.* leave; **prendre** —— **de** to take leave of
congédier to dismiss
connaissance *f.* acquaintance; **lier** —— **avec** to strike up an acquaintance with
connaître to know, to be acquainted with
conquérir to conquer, to win
conquête *f.* conquest
conseils *m. pl.* advice
conserver to preserve, to keep
consigne *f.* instructions, orders
consigner to record
(se) consoler to console oneself
constater to note, to establish
consteller to stud
construire to construct
contempler to view, to gaze upon
contenir to hold, to contain
content(e) happy, pleased
(se) contenter (de) to satisfy oneself (with)
contenu *m.* contents
contour *m.* shape, contour
contre against; in exchange for
contrôleur *m.* ticket taker, inspector
convenir to agree on
convoi *m.* convoy
convoiter to covet, to desire
coq *m.* cock, rooster
coquette *f.* flirtatious woman
coquillage *m.* shell
coquille *f.* shell
coquin *m.* scoundrel, rascal
corde *f.* string, rope; —— **raide** tightrope
corne *f.* horn; prong
corniche *f.* ledge

corps *m.* body; **esprit de** —— group spirit
corsage *m.* bodice, bosom
cortège *m.* procession
côte *f.* coast, shore; hill; —— **à** —— side by side
côté *m.* side; **du** —— **de** in the direction of; —— **face** heads; —— **pile** tails of a coin
cou *m.* neck; **au** —— around the neck
couche *f.* layer
coucher to put to bed; to sleep
coudoyer to rub elbows with
coudre to sew
couleur *f.* color
coulisses *f. pl.* wings, off stage (*theater*)
couloir *m.* corridor
coup *m.* shot; blow; **d'un** —— all at once; **être aux cents** ——**s** to be at one's wit's end; —— **de feu** gunshot; —— **de fusil** rifle shot; —— **de grisou** fire-damp explosion; —— **de main** maneuver; —— **d'œil** glance; **tout à** —— suddenly; —— **de théâtre** startling turn of of events
coupable guilty, sinful; *m. and f.* guilty person
couper to cut, to cut off; —— **une ville** to cut across a town; **se** —— to give oneself away
coupon *m.* piece, remnant (of material)
cour *f.* court, courtyard; —— **d'honneur** main courtyard
courir to run, to run around; to roam
couronnement *m.* fulfillment
couronner to crown

courroucé(e)   incensed

cours *m.*   course; **capitaine au long** —— sea captain

course *f.*   errand; race; **faire des** ——**s** to run errands; —— **de taureaux** bullfight

court(e)   short

cousin(e) *m. and f.*   cousin

coussin *m.*   cushion

couteau *m.*   knife

coûteux(-euse)   costly, expensive

couturière *f.*   seamstress

couvercle *m.*   cover

couvert *m.*   cover

couverture *f.*   blanket

couvrir   to cover

craindre   to fear

crainte *f.*   fear

crâner   to swagger; to show off (*fam.*)

crânerie *f.*   jauntiness

crâneur *m.*   show-off

cravate *f.*   necktie

crémière *f.*   dairy storekeeper

crépiter   to crackle

creuser   to dig

creux(-euse)   hollow

crever   to burst; to die; to put out; **Ça vous crève les yeux** It's staring you in the face

cri *m.*   cry, shout; **pousser un** —— to utter a cry

crier   to cry, to shout

cristal(-aux) *m.*   crystal

croire   to believe

croiser   to cross

croissance *f.*   growth

croix *f.*   cross; —— **militaire** military decoration

crosse *f.*   butt (of a gun)

cuir *m.*   leather

cuisine *f.*   kitchen

cuisse *f.*   thigh; **se taper sur les** —— to slap one's thighs

cuivre *m.*   brass; *pl.* brass instruments

culbuter   to knock over

cul-de-jatte *m.*   legless man

curé *m.*   curate, priest

cure-dent   toothpick

D

d'abord   at first

dans   in, into

danser   to dance

danseur(-euse)   dancer

dater (de)   to date (from)

davantage   more

déambuler   to meander

(se) débarbouiller   to wash one's face

débarquer   to unload; to disembark

(se) débarrasser   to get rid of

(se) débattre   to struggle

déborder   to overflow

déboucher   to open (bottle); to open onto; to emerge

debout   upright; **se tenir** —— to stand

déboutonner   to unbutton

(se) débrouiller   to manage; **Débrouillez-vous** Shift for yourselves

début *m.*   beginning

débutant(e) *m. and f.*   beginner

décamper   to get out, to beat it (*pop.*)

décerner   to award

décevoir   to disappoint

décharger   to unload

déchiffrer   to decipher, to decode

déchirer   to tear

décision *f.*   decision; **prendre une** —— to make a decision

déclamer   to declaim, to recite
déclasser   to lower (someone's) position
décolorer   to discolor
décombres m. pl.   debris
décor m.   decoration; scenery (theater)
découper   to cut up
découverte f.   discovery
découvrir   to discover
décrire   to describe
décrocher   to pick up the telephone
dédale m.   maze
dedans   inside
défendre   to forbid
défigurer   to disfigure
défoncé(e)   bumpy, full of potholes (of a road)
dégonfler   to deflate
dégoût m.   disgust
dégoûtant(e)   disgusting
déguisement m.   disguise
dehors   out, outside
déjeuner   to eat lunch; —— sur l'herbe   to picnic
délicatesse f.   delicacy, tactfulness
délicieux(-euse)   delightful
délirer   to be delirious, to rave
délivrer   to deliver, to issue
demander   to ask; se —— to wonder
démarche f.   proceedings, step
démêler   to make out; to figure out
démesurément   inordinately, beyond measure
demeure f.   residence, dwelling
demi(e)   half
démolir   to demolish, to destroy
démontrer   to show, to demonstrate

dent f.   tooth
dentelle f.   lace
dentier m.   denture, set of false teeth
départ m.   departure
dépasser   to go beyond; —— la quarantaine   to be over forty; —— (de quelque chose)   to stick out (of something)
dépêcher   to dispatch, to send
dépendre (de)   to depend (on), to hinge (on)
se dépenser   to exert oneself
déplaire   to displease
déplorer   to lament, to regret
déployer   to display
depuis   since, for; —— peu lately, a little while ago
dérailler   to be derailed; to talk nonsense (pop.)
déranger   to disturb
dernier(-ère)   last, latter, final
(se) dérouler   to take place
dérouter   to confuse, to baffle
derrière   behind
dès   since, from; —— lors from then on, ever since; —— que   as soon as
désagréger   to disintegrate
désarroi m.   confusion
désastre m.   disaster
désavouer   to disclaim, to disown
désaxer   to throw out of joint
descendre   to get off, or out (of car, train); to come down; to walk down
désert(e)   deserted
désespérer   to despair; to drive to despair
désespoir m.   despair
déshabiller   to lay bare (one's soul); se —— to undress
désigner   to designate

désintéressé(e) disinterested, uninvolved
désinvolture *f.* offhand manner; ease
désireux(-euse) desirous, eager
désobéir to disobey
désobéissance *f.* disobedience
désordre *m.* disorder
désormais from now on
desserrer to pry open, to unclench
dessiner to outline, to draw
dessous underneath; **observer (quelqu'un) en dessous** to watch (someone) furtively
dessus *m.* top; **au —— de on top**
destin *m.* fate, destiny
destiner (à) to intend (something) (for)
(se) détendre to relax
détruire to destroy; **mi-détruite** half-destroyed
deuil *m.* mourning
deux two
deuxième second
dévaler to rush, to race (down)
devant before, in front of
(se) développer to develop
devenir to become
déverser to pour out; to dump
deviner to guess
dévisager to stare at
devoir *m.* duty, obligation
devoir to owe, to be obliged to, to have to
dévot(e) devout
diable *m.* devil
Dieu *m.* God
difficile difficult
digérer to digest
digne dignified, worthy
dimanche *m.* Sunday

dire to say; **on dirait ...** one would think it's . . .; **c'est à —— that is to say; pour ainsi ——** so to speak; **Dites donc!** Say!
directeur, directrice leading, front, head; *m. and f.* director
dirigeable *m.* dirigible
discours *m.* speech
(se) disculper to clear oneself
disparaître to disappear
disposer to set out, to arrange
dissimuler to conceal
distinguer to make out, to discern
distordu(e) twisted, distorted
distraire to entertain, amuse
distrait(e) absent-minded
distribuer to distribute, to hand out
divertir to divert, to entertain
dix ten
dix-neuf nineteen
dodeliner to wag
doigt *m.* finger
domestique *m. and f.* servant
donc therefore, hence; **Dites donc!** Say!
donner to give; **—— sur** to look out onto; **—— tort à quelqu'un** say someone is in the wrong; **Ne vous donnez pas la peine** Don't bother
dont of which, whose
dormir to sleep
dos *m.* back
doser to measure out
douceâtre sweetish, sickly
doucement gently
douceur *f.* sweetness, gentleness; *pl.* sweets
douille *f.* socket (of cartridge)
douleur *f.* pain, sorrow

doute *m.* doubt; **sans** —— undoubtedly

douter de to be doubtful about, to mistrust

doux, douce gentle

douze twelve

drame *m.* drama

drapeau *m.* flag

dresser to pitch (a tent); to hold up, to draw up

droit(e) straight; right(hand, side); **tout** —— upright; **à droite** to the right

drôle funny

duel *m.* duel

duper to dupe, to fool

dur(e) hard, harsh

durer to last

E

eau *f.* water; **pêcher en** —— **trouble** to fish in troubled waters

éblouir to dazzle

ébranler to shake

écartelé(e) quartered, torn

(s')écarter (de) to move away (from); to stray

échanger to exchange

échapper (à) to escape (from)

échec *m.* failure, defeat

échelle *f.* ladder

échelonner to spread out, to space out

éclairage *m.* light, illumination

éclairer to light, to illuminate

éclat *m.* splinter; burst; flash; **action d'**—— brilliant feat; **voler en** ——**s** to be shattered ·

éclatant(e) brilliant

éclater to break out, explode

école *f.* school, school of thought

écoute *f.* listening place; **poste d'**—— listening post

écouter to listen (to)

écraser to crush, to flatten out

(s')écrier to shout, to cry out

écrire to write

écrivain *m.* writer

(s')écrouler to collapse; to crumble away

écurie *f.* stable

effacer to erase; to efface

effectif *m.* manpower (*mil.*)

effet *m.* effect; **en** —— as a matter of fact

(s')efflanquer to grow thinner

effondrer to break down; to overcome

effrayer to frighten

égayer to cheer up

église *f.* church

égout *m.* sewer

égrillard(e) ribald

élan *m.* impulse; glow

élève *m.* pupil

élever to raise, to bring up; **s'**—— to rise up, arise

éloge *m.* eulogy; **faire l'**—— **de quelqu'un** to praise someone

éloignement *m.* removal, absence

éloigner to remove, to move away; **s'**—— **(de)** to move away (from)

embaucher to hire, to recruit

embellir to embellish

embouchure *f.* mouth (of river)

embrasser to kiss

embrouiller to mix up, confuse; **s'**—— to become confused, muddled

émerger to emerge

émerveiller to amaze; to fill with admiration

émettre to utter; to send forth

emmener to take along; to take away

émouvoir to move, to touch; *p. part.* ému; s'—— to be moved

empaqueté(e) wrapped up

empêcher to prevent

empiler to pile up

emplir to fill up

employer to use; s'—— to occupy oneself

empoigner to grab

empoisonner to poison

emporter to carry along; to bring away; l'—— sur to prevail over

en in, into; at, on, by, while; to, as

enceinte pregnant

encombre, sans —— without hindrance, difficulty

encombrement *m.* glut (of overproduced article)

encombrer to overcrowd, to clutter, to encumber

(à l')encontre (de) contrary to, unlike, in opposition to

encore again, still; —— une fois once again

endormir to put to sleep; s'—— to fall asleep

endroit *m.* spot, place

enfance *f.* childhood

enfant *m. and f.* child

enfantillage *m.* childishness

enfantin(e) childish

enfariner to cover with flour, to flour

enfer *m.* hell, inferno

(s')enfermer to shut oneself up

enfin finally, at last

(s')enfoncer to plunge; to sink in

enfouir to bury

enfreindre to break, to bypass, to infringe

engager to engage, to hire; to bind, to commit; s'—— to enlist

enjôleur(-euse) *m. and f.* coaxer, wheedler

enlaidir to make ugly, to disfigure

enlever to remove, to take away

ennemi(e) enemy; *m. and f.* the enemy, foe

ennui *m.* boredom; trouble

ennuyer to annoy, to bother; s'—— to be bored

ennuyeux(-euse) boring, dull

énorme enormous; outrageous

enquête *f.* investigation

enrager to be vexed, out of patience

(s')enrichir to be enriched

enrôler to enlist

enrouler to wrap up; to roll up

ensemble together; *m. and f.* whole, entirety

ensorcelé(e) bewitched, under a spell

ensuite then, next

entendre to hear; to understand; s'—— to get along, to agree

entente *f.* understanding

enterrer to bury

enthousiasme *m.* enthusiasm

entraîner to draw in, to involve

entre between

entrechoquer to bump against

entrée *f.* entrance (onto stage)

entrefaites, sur ces —— *f. pl.* in the meantime

entreprise *f.* undertaking

entrer to enter

entretenir   to maintain; s'——
(de) to talk (about)
entrevoir   to have an inkling
of
entrouvert(e)   half open
envahir   to invade, to overrun
envelopper   to wrap
envie *f.*   desire; avoir —— de
to feel like
environs *m. pl.*   neighborhood, vicinity
envisager   to envisage; to con-
template
envoyer   to send
(s')épanouir   to blossom
épanouissement *m.*   blooming,
opening out
épargner   to spare
épaule *f.*   shoulder
épave *f.*   stray, wreck, waif
épeler   to spell
épineux(-euse)   thorny
époque *f.*   period, time
épouser   to marry
épouvantable   dreadful,
shocking
époux, épouse *m. and f.*
spouse
épreuve *f.*   test
épris(e)   in love, enamored
éprouver   to feel, to experi-
ence
équilibre *m.*   equilibrium,
balance
équipage *m.*   crew
erreur *f.*   error, mistake
escadrille *f.*   squadron
escale *f.*   port of call
espace *f.*   space
espagnol(e)   Spanish
espèce *f.*   kind, sort
espérer   to hope (for); to expect
espion(ne) *m. and f.*   spy

espionnage *m.*   spying
espoir *m.*   hope
esprit *m.*   mind, spirit; wit;
—— de corps   group spirit
esquisser   to sketch; to make a
vague gesture of
essai *m.*   attempt
essayer   to try
essence *f.*   gasoline
étable *f.*   stable, cowbarn
établissement *m.*   institution
étage *m.*   floor, story
(s')étaler   to spread
étanche   watertight; cloison
—— watertight bulkhead
état *m.*   state
état-major *m.*   staff, head-
quarters
éteindre   to extinguish; to
turn out a light; s'—— to
pass away
(s')éterniser   to drag on
éternuer   to sneeze
étirer   to stretch out
étoile *f.*   star
étonnant(e)   surprising
étonnement *m.*   surprise
étonner   to surprise, to amaze;
s'—— to be surprised; to
wonder
étouffer   to suppress, to
smother
étourdir   to stun, to daze
étrange   strange
étrangler   to choke
être   to be; soit   so be it
étroit(e)   narrow; étroitement
closely, tightly (bound)
(s')évader   to escape
(s')évanouir   to faint
(s')évaporer   to evaporate
éveiller   to awaken
évêque *m.*   bishop
éviter   to avoid, to prevent; to
spare the trouble

évoluer to move, to develop (as of a plot)

examen *m.* examination

exception *f.* exception; **faire —— to be an exception

exclure to exclude

(s')excuser to excuse oneself; to apologize

exécuter to carry out

exemple *m.* example; **par ——! for heaven's sake! (fam.)

exiger to demand, require

exil *m.* exile, place of exile

expliquer to explain

exposer to state, to explain; to expose

express *m.* express train

exquis(e) exquisite

F

fabuleux(-euse) fabulous

face *f.* face; **en —— de** opposite, face to face with; **—— à ——** face to face

façon *f.* manner, way; **de toutes façons** in any case

factice artificial

faillir to fail; **il faillit (faire quelque chose)** he nearly (did something)

faim *f.* hunger

faire to make, to do; **—— antichambre** to be kept waiting; **—— des courses** to run errands; **—— l'éloge de** to praise; **—— exception** to be an exception; **——le fou** to play the fool; **—— froid** to be cold (weather); **—— mal** to hurt; **——merveilles** to work wonders; **—— mine (de)** to pretend (to); **—— le premier pas** to take the first step; **—— faux bond** to

fail to show up; **—— une rencontre** to meet; **—— la route à pied** to walk all the way; **—— semblant (de)** to pretend (to); **—— sa toilette** to wash and dress; **se ——** to become; **se —— comprendre** to make oneself understood

falloir to be necessary, to need

falot *m.* hand lantern

fameux(-euse) famous

famille *f.* family

fané(e) withered, wilted

fange *f.* mud, mire, filth

fantaisie *f.* fancy, whim; **à leur ——** as they please

fantoche *m.* marionette

fantôme *m.* ghost, phantom

farouche shy, timid

fatigue *f.* weariness, tiredness

fatiguer to tire

faute *f.* mistake, fault

fauteuil *m.* armchair, easy chair

faux, fausse false

favori(te) favorite

favoriser to favor; to encourage

fée *f.* fairy

féerie *f.* enchantment; fairyland

féeriquement entrancingly, magically

feindre to pretend, to feign

feint(e) feigned, assumed

féliciter to congratulate; **se —— (de)** to be pleased (with); to be thankful (for)

femme *f.* woman, wife; **femmelette** silly, weak woman

fenêtre *f.* window; **par la ——** out the window

fente *f.* crack

fer *m.* iron; **chemin de ——**

railroad; **fil de** —— wire

ferme *f.* farm

ferme firm; **terre** —— solid ground

fermer to close

féroce ferocious, savage

féru(e) (de) set on

fête *f.* festival, party

fêter to celebrate; to greet enthusiastically

fétiche *m.* mascot

feu *m.* fire; **arme à** —— firearm; —— **d'artifice** fireworks; **au coin du** —— by the fireside; **coup de** —— gunshot; **prendre** —— to catch fire

feuille *f.* leaf, sheet of paper; **feuille de route** marching orders

feutre *m.* felt

fiançailles *f. pl.* engagement

(se) fiancer to be come engaged

ficelle *f.* string

fiche *f.* slip of paper, memorandum; —— **de température** temperature chart

fier, fière proud

fièvre *f.* fever

fifre *m.* fife

(se) figer to become set, to stiffen

figurant *m.* walk-on (*theater*)

figure *f.* face; **se casser la** —— to break one's neck

fil *m.* thread; **de** —— **en aiguille** gradually; —— **de fer** wire; —— **de fer barbelé** barbed wire; **tenir les** ——**s** to pull the strings

fille *f.* girl, daughter; **vieille** —— old maid

filou *m.* swindler

fils *m.* son

filtre *m.* filter

fin *f.* end

fin(e) shrewd; fine, small

finesse *f.* subtlety, delicacy

finir to finish, end

fixer to stare at

flairer to smell; to suspect

flanc *m.* flank, side

flanquer to flank

flaque *f.* puddle

flatter to flatter

flétrir to wither

fleur *f.* flower; **le papier à** ——**s** flowered wallpaper

fleurir to flower, to flourish

fleuve *m.* river

flot *m.* wave, flood

fois *f.* time; **une** —— once; **encore une** —— once again

folie *f.* folly, madness

fonctionner to function, to operate

fond *m.* back, bottom; **au** —— at or to, the bottom

force *f.* strength, force; **à** —— **de** by dint of; **de** —— by force; **de première** —— first rate; **de toutes ses** ——**s** with all his might

formule *f.* formula

fort(e) strong, good; —— **en thème** bookworm; —— **de** full of, strengthened by; *adv.* very

(se) fortifier to grow stronger; to be enhanced

fortune *f.* fortune, luck; **faire contre mauvaise** —— **bon cœur** to make the best of a bad thing

fosse *f.* hole, ditch, trench

fou, folle mad, crazy; **rendre** —— to drive crazy; *m. and f.* mad person, fool; **faire le** —— to play the fool

foudre *f.* thunderbolt, lightning

foudroyer　to strike down, to dumbfound
fouetter　to whip
fouiller　to search, to rummage
foule *f.*　crowd, masses
fourbe *m. and f.*　cheat, swindler
fourche *f.*　pitchfork
fourmilière *f.*　ant hill
fournir　to furnish, to provide
foyer *m.*　home
fracasser　to shatter
frais, fraîche　fresh
français(e)　French; *m. and f.* a French person
franchise *f.*　frankness
frange *f.*　fringe
frapper　to strike, to be striking
frein *m.*　brake; **mettre les freins**　to put on the brakes
frelon *m.*　hornet
fréquence *f.*　frequency
frère *m.*　brother
friandise *f.*　delicacy; *pl.* sweets
friche *f.*　fallow land
frivole　frivolous
froid(e)　cold; **il fait ——** it is cold
froncer　to wrinkle; **—— le sourcil**　to wrinkle one's brow, to frown
frondeur(-euse)　bantering, scoffing, irreverent
frotter　to rub, scour
fuir　to flee
fumée *f.*　smoke; *pl.* fumes
fumer　to smoke
funèbre　funereal
fureter　to poke around
fusée *f.*　rocket
fusil *m.*　gun, rifle; **coup de —— **　rifle shot
fusilier *m.;* **—— marin** marine
fusiller　to shoot

G

gagner　to win, to gain
galanterie *f.*　politeness, gallantry (especially to ladies)
galon *m.*　braid, stripe (of rank)
galonner　to trim (with braid, stripes)
galopin, *m.*　scamp, brat
galvaniser　to give life to, to arouse
gamelle *f.*　mess tin
gamin *m.*　boy, kid
ganache *m.*　stick-in-the-mud, fuddy-duddy
(se) garantir　to shelter, to protect oneself
garçon *m.*　boy
garder　to keep, to harbor
gardien *m.*　guard
gars *m.*　fellow, boy
gâteau *m.*　cake
gâter　to spoil, to mar
gâteries *f. pl.*　treats
gauche　left; clumsy
gaz *m.*　gas
gazomètre *m.*　gas storage tank
gémir　to moan, to wail
gendre *m.*　son-in-law
gêne *f.*　trouble, difficulty, embarrassment
généreux(-euse)　generous, warm, open
génie *m.*　genius; corps of engineers (*mil.*)
genou *m.*　knee; **à ——x** on one's knees, kneeling
genre *m.*　kind, sort, style
gens *m. pl.*　people; **les —— du monde**　society people
geste *m.*　gesture
gibier *m.*　game, prey
glace *f.*　ice; mirror; **une armoire à ——**　mirrored wardrobe

glacer to freeze
glacial(e) icy
glapir to yelp
glisser to slide, to slip; **se** ——
to glide, creep
gloire *f.* glory
gloutonnement gluttonously
golf *m.* golf club
gonfler to inflate, to blow up
gorge *f.* throat
gosse *m. and f.* kid (*fam.*)
gouffre *m.* abyss
goût *m.* taste; style, manner
goûter to taste; to relish; to
have a snack
goutte *f.* drop
grabuge *m.* rumpus, row
grâce *f.* grace; thanks; ——
à thanks to; **mauvaise** ——
ungraciousness
grade *m.* rank
grand(e) great, large; ——
ouvert wide open
grandir to grow up
grand-père *m.* grandfather
gratuitement gratuitously
grave serious
graver to engrave
gravité *f.* seriousness, gravity
gravure *f.* engraving
gré *m.* taste, liking; **à son**
—— at (his, her) will, to (his,
her) liking
grec(que) Greek
grêle *f.* hail; —— **d'obus**
shower of shells
grésiller to crackle, to sputter
griffe *f.* claw
grille *f.* iron railing
grimace *f.* grimace, face
gris(e) gray; tipsy, high
griser to make tipsy; **se** ——
to become (to get) tipsy, in-
toxicated
grisou, un coup de —— fire-
damp explosion (in coal
mine)

gronder to scold
gros(se) big, fat, heavy,
coarse; **grosse pièce** heavy
gun
grossir to grow, to swell
grue *f.* crane
(ne . . .) guère hardly
guérir to cure
guerre *f.* war; **nom de** ——
assumed name
guerrier *m.* warrior
guêtre *f.* gaiter; *pl.* spats
guetter to be on the lookout
guetteur *m.* lookout, watch-
man
gueule *f.* face, mug (*pop.*)
guider to guide
guise *f.* way, manner; **à sa**
—— as one pleases

H

habile smart
(s')habiller to dress, to get
dressed
habit *m.* dress, suit, attire
habitable livable, habitable
habiter to inhabit, to live in
habitude *f.* custom, habit;
d'—— ordinarily
(s')habituer (à) to get used
(to)
hache *f.* ax
haine *f.* hatred
haïr to hate
haleine *f.* breath; **hors d'**——
out of breath
hamac *m.* hammock
hanché(e) hippy
harceler to harrass
harnaché(e) harnessed
harnais *m.* harness
hasard *m.* chance; **au** ——
at random
hâte *f.* haste, hurry
haut(e) high; **en** —— at the
top

haut-le-corps *m.* sudden start
hein? eh? huh?
hélas alas
herbe *f.* grasse; **déjeuner sur
l'——** to picnic; **en ——**
budding
hermine *f.* ermine
hésiter to hesitate, to waver
hétéroclite irregular, odd,
queer
heure *f.* hour
hisser to lift up, to pull up
histoire *f.* story
homme *m.* man
honneur *m.* honor; **cour
d'——** main courtyard
honte *f.* shame
honteux(-euse) shameful;
honteusement shamefully
Hop! Oop!
hors de outside of
hospice *m.* poor house (for
old, poor people)
hostie *f.* host (Eucharist)
hôte *m.* guest, occupant
hôtelier *m.* innkeeper
houle *f.* swell, ground swell
huit eight
huître *m.* oyster
hurler to howl, to yell
hutte *f.* hut
hymne *m.* hymn, national an-
them
hypocrite hypocritical

I

idée *f.* idea
idolâtrer to idolize
ignorer not to know
illuminer to light up, to illuminate
illustre illustrious
image *f.* picture
immeuble *m.* house

(s')immobiliser to come to a
stop
impassibilité *f.* impassiveness
importer to matter; **n'importe
comment** no matter how
(en) imposer to inspire respect
imprévu *m.* unexpected, un-
foreseen
imprimer to impart
impudique immodest, inde-
cent
impulsion *f.* impulse, im-
petus
inattendu(e) unexpected
inconscience *f.* unconscious-
ness
incrédule incredulous, skepti-
cal; *m. and f.* skeptic,
doubter
incroyable incredible, unbe-
lievable
indélicatesse *f.* indelicacy,
tactlessness
indemne untouched, undam-
aged
indigène native
indigne unworthy
indiquer to point out
indisposer to upset, to antago-
nize
individu *m.* individual, person
inégal(e) uneven
inégalité *f.* inequality
inépuisablement inexhausti-
bly
infâme unspeakable, beastly
infirme disabled; *m. and f.*
invalid
infirmier(-ière) *m. and f.*
nurse; **—— major** head
nurse
informe shapeless, misshapen
ingénieux(-euse) ingenious,
clever

ininterrompu(e) uninterrupted

inondation *f.* flood, inundation

inquiétude *f.* uneasiness

insouciance *f.* unconcern, casualness

inspection *f.* inspection; **passer une —— to inspect (a company) (*mil.*)

installer to fix, to arrange

instantané *m.* snapshot

instantanément instantly

intenable unbearable

interdire to forbid

interdit(e) taken aback, disconcerted

intéresser to interest

intérêt *m.* interest, benefit

interloqué(e) disconcerted

intermède *m.* interlude

interprète *m. and f.* interpreter; actor

interpréter to interpret, to perform

interroger to question

interrompre to interrupt, to stop

intime *m. and f.* intimate friend

intimité *f.* intimacy

intrigant(e) scheming; *m. and f.* schemer

intrigue *f.* plot, intrigue; plot (of play)

intriguer to plot, to scheme

introduire to introduce

inutile unnecessary

inventer to make up

inverse opposite

invité(e) *m. and f.* guest

irréel(le) unreal

irrespectueux(-euse) disrespectful

irrespirable unbreathable

ivre drunk

ivrogne drunken; *m. and f.* drunkard

J

jadis formerly, of old

jalousie *f.* jealousy

jaloux(-ouse) jealous

jamais ever; **ne . . . ——** never

jambe *f.* leg; **à toutes ——s** as fast as possible

jardin *m.* garden

jaune yellow

jeter to throw; **—— un regard** to cast a glance; **—— un sort** to cast a spell; **se —— to throw oneself, to jump

jeu *m.* game

jeune young; **—— premier** juvenile lead

jeunesse *f.* youth

joie *f.* joy

joindre to join, to add

joli(e) pretty

joncher to strew

jouer to play; **—— à** to play (a game); **—— de** to play (an instrument); **—— un bon tour** to play a good trick; **—— le tour** to do the trick; **—— quelqu'un** to trick someone

jouet *m.* toy

joueur *m.* player

jouir (de) to enjoy

jour *m.* day; **du —— au lendemain** in no time

journal *m.* newspaper

journée *f.* day

jubiler to be delighted, to exult

juger to judge

jumelles *f. pl.* binoculars

jupe *f.* skirt

jurer to swear
jusque up to, till, until
juste just, right; **au** —— exactly; **à** —— **titre** rightly; **tomber** —— to guess rightly; **justement** precisely, exactly

L

là there
lâcher to let go; to release; —— **la bride à** to give free rein to
laid(e) ugly
laisser to leave, to let; —— **tranquille** to leave alone; **se** —— **prendre** to let oneself be caught
laissez-passer *m.* pass
lait *m.* milk
lame *f.* blade
lampe *f.* lamp; —— **de poche** flashlight
langage *m.* language, speech
langue *f.* tongue, language
languir to languish, to pine
laque *m.* paint
large wide, broad; —— **ouvert** wide open
larme *f.* tear; **rire aux** ——s to laugh until the tears come
(se) lasser to grow tired
latte *f.* slat
leçon *f.* lesson
léger(-ère) light; **à la légère** lightly, without thinking; **légèrement** lightly, madly
léguer to bequeath
lendemain *m.* next day; **du jour au** —— in no time
lent(e) slow, drawn out; **lente agonie** lingering death; **lentement** slowly
lequel, laquelle, lesquels, lesquelles which, who, whom

lest *m.* ballast
leste light, light-footed
leur their, to them, for them
lever to raise, to lift
lèvre *f.* lip
liaison *f.* liaison; **agent de** —— liaison officer
libérer to free
libre free; **le** —— **arbitre** free will
lien m. tie, bond; **briser ses** —— to burst one's shackles
lier to tie; —— **connaissance avec** to strike up an acquaintance with
lierre *m.* ivy
lieu *m.* place; **au** —— **de** instead of; **avoir** —— to take place; **tenir** —— **de** to take the place of
lieue *f.* league (2.5 miles)
lièvre *m.* hare
ligne *f.* line
lire to read; —— **dans la main** to read palms
liseron *f.* bindweed, convolvulus
lisse smooth
lit *m.* bed
livre *m.* book; **à** —— **ouvert** at sight
(se) livrer (à) to indulge (in), engage (in)
loge *f.* lodge (of caretaker)
loger to be lodged, to be housed
loi *f.* law
loin far; **de** —— **en** —— once in a while
lointain distant
Londres *f.* London
long(ue) long; *m.* length; **le** —— **de** along
longtemps a long time
longuement for a long time

loque *f.* rag, shred
lors de at the time of
lorsque when
louche suspicious
lourd(e) heavy; **lourdement** heavily
lucarne *f.* skylight, small window
lueur *f.* flash of light
lumière *f.* light
lune *f.* moon; **clair de —** moonlight
lunettes *f. pl.* eyeglasses
lutte *f.* struggle, fight
luxe *m.* luxury

M

mâcher to chew, to masticate
madrier *m.* beam, plank
magasin *m.* store
magnétiseur *m.* hypnotist
magnifique magnificent
maigreur *f.* emaciation, thinness
main *f.* hand; **coup de —** maneuver, technique; **lire dans la —** to read palms; **à pleines —s** with both hands
maintenant now
maire *m.* mayor
mais but
maison *f.* house; **— de santé** nursing home
maîtresse *f.* mistress
mal *m.* pain, difficulty; **faire —** to hurt; *adv.* badly, poorly, ill; **marquer —** to make a bad impression; **se trouver —** to feel faint
malade sick
maladif(-ive) sick, morbid
maladroit(e) awkward, clumsy

malaise *f.* uneasiness
malchanceux(-euse) unlucky; *m. and f.* unlucky one
malgré despite
malheur *m.* misfortune, calamity
malheureux(-euse) wretched, unfortunate; *m. and f.* wretched, unfortunate person
malice *f.* trick
malsain(e) pernicious
manche *f.* sleeve
manger to eat; **salle à —** dining room
manie *f.* mania; idiosyncracy
manille *f.* a French card game
manque *m.* lack
manquer to miss; to fail; to be missing, to lack
manteau *m.* coat, cloak
mantille *f.* mantilla
marche *f.* march, walking step
marcher to walk, to go, to proceed
marge *f.* margin, edge
mari *m.* husband
marier to marry; **se —** to get married
marin(e) naval; **fusilier —** marine; *m.* sailor
marmite *f.* cauldron; heavy shell
marmotte *f.* marmot
marmotter to mutter
marotte *f.* craze, mania
marque *f.* token, sign
marquer to mark, to make a mark; **— mal** to make a bad impression
mascarade *f.* masquerade
masque *m.* mask, gas mask; **boîte à —** metallic container for gas masks

masquer to disguise, to conceal

mât *m.* mast

matelot *m.* sailor, seaman

mater to bring (someone) to heel

matériel *m.* supplies (*mil.*)

matin *m.* morning

mâtin *m.* rascal

maudire to curse

mauvais-e bad, wicked; —— grâce ungraciousness; **d'un** —— œil unfavorably

méandre *m.* winding path

mécanicien *m.* mechanic; driver

mécanique mechanical; **piano** —— player piano; *f.* machine

mèche *f.* strand of hair

méconnaissable unrecognizable

médaille *f.* medal

médecin *m.* doctor; ——-chef head doctor (in a hospital)

meilleur better; **le** —— best

mélanger to mix

mêler (à) to mix, to blend with; **se** —— (**de**) to interfere (in)

mélomane *m.* music lover

membre *m.* member; limb

même even, the same; **de** —— in the same way; **tout de** —— all the same

menacer to threaten, to menace

ménage *m.* household

ménager to prepare, to arrange; **se** —— to spare oneself

mener to lead, to take

mensonge *m.* lie, deceit

mentir to lie

méprisant(e) scornful

mer *f.* sea

mère *f.* mother

mériter to merit, to deserve

merveille *f.* wonder, marvel; **à** —— marvelously, most perfectly; **faire** —— to work wonders

merveilleux(-euse) marvelous, wonderful

messe *f.* mass; **un livre de** —— prayerbook

mesure *f.* measure; **à** —— **que** (proportionately) as

méthode *f.* method

mettre to put, to set; to put on; —— **des bâtons dans les roues** to meddle; —— **sur le compte de** to attribute to; —— **au monde** to give birth to; —— **en valeur** to enhance; —— **à vif** to lay bare; **se** —— (**à**) to go (to), to begin; **se** —— **à la besogne** to get to work; **se** —— **en branle** to get going; **se** —— **à l'envers** to turn oneself inside out; **se** —— **en marche** to get going

meunier *m.* miller

meurtrier *m.* murderer

mi-clos(e) half-closed

milieu *m.* social class; middle; **au** —— **de** amidst

militaire military; **croix** —— military cross (decoration); *m.* soldier

mille thousand

mince thin, slight

mine *f.* look, appearance; **faire** —— **de** to pretend to

mineur *m.* miner

ministère *m.* ministry

minuit *m.* midnight

miroiter to flash

mise *f.* bid

misérable *m. and f.* wretch, villain

mitaine *f.* mitten

mobile *m.* motive

mode *f.* fancy, style

mœurs *f. pl.* manners; morals

moignon *m.* stump

moindre least

moine *m.* monk

moins less; **du ——** at least; **le —— du monde** in the least; **n'en être pas ——** to be nonetheless

mois *m.* month

moitié *f.* half; **à ——** halfway

mollet *m.* calf (of leg)

molletière, bande —— strip of cloth wound around the calf of the leg

mondain(e) worldly, mundane

monde *m.* world; circle (*social*); **les gens du ——** society people; **mettre au ——** to give birth to; **tout le ——** everyone

monnaie *f.* money; **petite —— ** small change

montagne *f.* mountain

monter to mount; to set up; **—— à cheval** to go horseback riding

(se) montrer to prove to be, to show

(se) moquer (de) to make fun of, to laugh at

morceau *m.* piece, bit

mordre to bite

(se) morfondre to be bored to death

morgue *f.* arrogance, pride; morgue

moribond *m.* dying man

mort *f.* death; **une tête de —— ** death's head

mort(e) dead; **balle ——** spent bullet; **tomber raide ——** to fall dead

mot *m.* word; witticism; **—— d'ordre** countersign; **—— de passe** password; **ne pas souffler ——** not to breathe a word

motif *m.* motive

mouche f. fly; **papier à ——s** fly paper

(se) moucher to blow one's nose

mouette *f.* seagull

moufle *m. or f.* muffler

moulin *m.* mill

mourir to die

mouton *m.* sheep; **peau de —— ** sheepskin

moyen *m.* means, way

mue *f.* moulting, shedding of skin

muet(te) mute

muguet *m.* lily of the valley

mur *m.* wall

muraille *f.* wall

musc *m.* musk

mutilé(e) mutilated; *m. and f.* mutilated person

myope *m. and f.* nearsighted person

N

nager to swim

naïf(-ive) guileless, unsophisticated

naissance *f.* birth

naître to be born; *p. part* **né**

narguer to disregard, to flout

nasillard(e) nasal

natif(-ive) *m. and f.* native

nature, *f.* nature, character, temperament

nauséabond(e)   nauseating
naviguer   to sail the sea
navire *m.*   boat, ship
négligé *m.*   informality
négliger   to neglect
nègre   Negro; *m.* a Negro
neiger   to snow
nerf *m.*   nerve
net(te)   clear, outright; **stopper net**   stop short
neuf, neuve   brand new
neuf   nine
neveu *m.*   nephew
nez *m.*   nose; **rire au —— de quelqu'un**   to laugh in someone's face
niais *m.*   fool
noblesse *f.*   nobility
noir(e)   black
noirceur *f.*   baseness, foulness
nom *m.*   name; **—— de guerre**   assumed name
nombre *m.*   number
nombreux(-euse)   numerous
nommer   to name
notre   ours; **un des nôtres**   one of us
nouer   to knot
nourrice *f.*   wetnurse
nourrir   to nourish, feed; **se —— (de)**   to feed on, thrive
nouveau(-elle)   new; **de nouveau**   again
nouvelle *f.*   (piece of) news; **avoir des nouvelles de quelqu'un**   to hear from someone
nu(e)   naked, nude
nuage *m.*   cloud
nue *f.*   cloud; **tomber des ——s**   to be thunderstruck
nuire (à)   to harm; to detract (from)
nuit *f.*   night
nul(le)   no, not any

O

obéir   to obey
objet *m.*   object
obscurité *f.*   darkness
observateur, observatrice *m. and f.*   observer
observer   to observe; **—— (quelqu'un) en dessous**   to watch (someone) furtively
(s')obstiner   to persist
obstruer   to obstruct
obtenir   to obtain, to get
obus *m.*   artillery shell
occasion *f.*   opportunity, occasion
(s')occuper   to keep busy
occurrence *f.*   event; **en l'——**   under the circumstances
œil *m.* (*pl.* **yeux**)   eye; glance, look; **en un clin d'œil**   in the twinkling of an eye; **un coup d'œil**   a glance; suresightedness; **Ça vous crève les yeux**   It stares you in the face; **d'un mauvais œil**   unfavorably
œuvre *f.*   work; **chef-d'——**   masterpiece
offenser   to offend, to shock
office *m.*   duty, functions; **d'——**   automatically
offrir   offer
oiseau *m.*   bird; **à vol d'——**   from a bird's eye view
oiseleur *m.*   bird catcher
ombre *f.*   shadow
oncle *m.*   uncle
onze   eleven
opérer   to operate on
or *m.*   gold
orage *m.*   storm
ordonnance *f.*   regulation; **un revolver d'——**   regulation revolver
ordonner   to order, command

ordre *m.* order; **le mot d'——** countersign; **de premier ——** first class

oreille *f.* ear

oreiller *m.* pillow

organisateur, organisatrice *m. and f.* organizer

organiser to get into working order

orgiaque orgiastic

orifice *m.* opening

original(e) original, eccentric

orner to ornament, to embellish

orphelin *m.* orphan

oser to dare

otage *m.* hostage

ôter to remove

où where, in which; when

oublier to forget

ours *m.* bear

outré(e) carried away by rage

outre que aside from, apart from

ouvrier *m.* worker, laborer

ouvrir to open; **à livre ouvert** at sight; **grand ouvert, large ouvert** wide open

P

paillasse *f.* straw mat, pallet

paille *f.* straw

pain *m.* bread

paix *f.* peace

palmarès *m.* honor roll

pan *m.* section, piece

pancarte *f.* placard, sign

panne *f.* breakdown; **être en ——** to have a breakdown (car, etc.)

pansement *m.* dressing, bandage

panser to dress (*wound*)

papier *m.* paper, document, permit; **——** **à fleurs** flowered wallpaper; **——** **à mouches** flypaper

paquebot *m.* steamship

par by, through, per; **——** **les fenêtres** out the windows; **trente fois** **——** **jour** thirty times a day; **——** **bribes** piecemeal; **——** **exemple!** for heaven's sake!

parages *m. pl.* localities, parts

paraître to appear, to seem

paraphe *m.* flourish (of signature)

Parbleu! Why, of course!

pareil(le) such; similar, equal

parent *m.* relative

parfois sometimes

parfum *m.* perfume; odor

parler to speak, to talk

paroi *f.* partition, wall

parole *f.* word

part *f.* part, place, share; **de —— et d'autre** here and there; **à ——** apart; **à —— soi** to oneself

partage *m.* sharing

partager to share, to divide

parti *m.* decision, choice; **prendre un ——** to come to a decision; **mon —— est pris** my mind is made up

partie *f.* game; part; **C'est partie remise** We'll have to wait for next time

partir to leave, to depart, to go

partout everywhere

parvenir (à) to succeed (in)

pas *m.* step; **faire le premier ——** to take the first step

passage *m.* passage; **au ——** in passing

passe *f.* pass; **mot de ——** password

passe-montagne *m.* tight-fitting woolen hood

passer to pass; —— **une inspection** to inspect (a company) (*mil.*); **se** —— to happen

pâté *m.* inkblot

paternellement paternally

patiner to skate

pâtisserie *f.* pastry shop, pastry

patrouille *f.* patrol

patte *f.* paw; tab

paume *f.* palm

pauvre poor; *m. and f.* poor person

payer to pay, to pay for

pays *m.* country, land

paysage *m.* landscape

peau *f.* skin; —— **de mouton** sheepskin

peau rouge *m.* redskin, American Indian

pêche (à) *f.* fishing (for)

peindre to paint

peine *f.* pain, difficulty, trouble; **avoir** —— **à** to find it hard to; **Ne vous donnez pas la** —— Don't bother

peintre *m.* painter

(se) pelotonner to huddle, to curl up

pelouse *f.* lawn

pencher to bend, to lean; **se** —— **(à)** to lean (out)

pendant during; —— **que** while

pénétrer to penetrate, to enter

pénible painful

pensée *f.* thought

penser to think

penseur *m.* thinker

pente *f.* slope, incline

percer to pierce, to penetrate

perdre to lose

père *m.* father

périlleux(-euse) perilous

péripéties *f. pl.* mishaps

perle *f.* pearl

permettre to permit, to allow

permis *m.* permit

permission *f.* permission; **en** —— on leave (*mil.*)

perron *m.* steps (of house); stoop

perroquet *m.* parrot

persienne *f.* slatted shutter

personnage *m.* personage, character (of play or book)

personne *f.* person; **ne . . .** —— nobody, no one

persuader to persuade, to convince

perturber to upset

peser to weigh

petit(e) little, light; **petite monnaie** small change

peu *adv.* little; **depuis** —— a little while ago, lately; **à** —— little by little; **pour** —— **que** if only

peupler to populate, to people

peur *f.* fear; **avoir** —— to be afraid; **de** —— **que** for fear that

peut-être perhaps, maybe

phare *m.* lighthouse, headlight

pharmacien *m.* pharmacist

phénomène *m.* phenomenon

phrase *f.* sentence

piaffer to paw the ground

piano mécanique player piano

pic *m.* (mountain) peak; **à** —— steep

pièce *f.* room; play (*theater*); piece; —— **d'artifice** stationary piece of fireworks, flaring device; —— **d'artillerie** gun; **grosse** —— heavy gun; —— **de marine** naval artillery gun

pied *m.* foot; **à** —— on foot; **à** ——**s joints** with both feet; **de plain-** —— on the same level; **sur** —— on one's feet
piédestal *m.* pedestal
piège *m.* trap
pieux(-euse) pious
piller to pillage
piloter to pilot
pincer to pinch
pion *m.* pawn
piquer to give an injection
pire worse; **le** —— the worst
pirouetter to spin around
piste *f.* track, path
place *f.* place, seat; public square; **sur** —— on the spot; **ne pas tenir en** —— to be restless
placer to place; **se** —— to take one's place
plafond *m.* ceiling
plage *f.* beach
plaider to plead, argue
plaindre to pity; **se** —— to complain
plainte *f.* moan
plaintif(-ive) plaintive, doleful
plaire (à) to please; **ça me plaît** I like that
plainsanter to joke
plaisir *m.* pleasure
planche *f.* board; *pl.* stage; **brûler les planches** to act with fire
planton *m.* orderly
plat(te) flat; **à plat-ventre** on one's belly
plate-bande *f.* flower border
plâtre *m.* plaster
plein(e) full; **pleinement** fully
pleur *m. usually pl.* tear
pleuvoir to rain

pluie *f.* rain
plume *f.* feather
plus more; **le** —— most; **de** —— moreover; **de** —— **en** —— more and more; **ne** . . . —— no longer; **non** —— neither
plusieurs several
plutôt rather
pluvieux(-euse) rainy
poche *f.* pocket; **lampe de** —— flashlight; **ambulance de** —— small ambulance
poids *m.* weight
poigne *f.* firm grip; **homme de** —— strong, forceful man
poignée *f.* doorhandle
poil *m.* hair, down
point *m.* period (of sentence)
poitrine *f.* chest
polisson *m.* naughty child; mischief maker
polissonner to roam the streets
politique *f.* policy, dealings with others
Pologne *f.* Poland
polonais(e) Polish; *m. and f.* Polish person
pomme *f.* apple; —— **d'-Adam** Adam's apple
pommier *m.* apple tree
pompe *f.* ceremony
ponctuer to punctuate
pont *m.* bridge
popote *f.* mess hall
porte *f.* door, gate; —— **cochère** main gate
porter to carry, to carry weight; —— **sur** to have to do with
portière *f.* door (of car)
porto *m.* port wine
poser to put; —— **une question** to ask a question

posséder to possess

poste *m.* post, station; —— **d'écoute** listening station; —— **de secours** first-aid station; —— **de tout repos** a station of absolute safety

posture *f.* position

poteau *m.* pole

pouce *m.* inch

poudre *f.* powder

poulailler *m.* top gallery

poularde *f.* common table fowl

pour for, in order to; —— **ainsi dire** so to speak; —— **que** in order that; —— **peu que** if only

poursuivre to go on, to pursue

pourtant however

pourvu que provided that

pousser to push; —— **un cri** to utter a cry

poutre *f.* beam

pouvoir *m.* power

pouvoir to be able to; can

préambule *m.* preamble

précédent(e) preceding

précieux(-euse) valuable, dear

(se) précipiter to hasten

premier(-ère) first; **de première force** first rate; **un jeune premier** juvenile lead (*theater*); **de premier ordre** first class

prendre to take, to take on; —— **congé** to take leave; —— **une décision** to make a decision; —— **feu** to catch fire; —— **part à** to take part in; —— **un parti** to come to a decision; —— **des renseignements** to make inquiries; —— **le thé** to have tea; **se laisser** —— to

let oneself be taken in, caught

préoccupé(e) preoccupied

préparatifs *m. pl.* preparations

près near; **de** —— at close range

presbyte *m.* farsighted person

présenter to present, to introduce

presque almost

pressentir to have a foreboding

prêt (à) ready (to)

prétendre to claim; —— **à** to lay claim to

prêter to lend

prétexter to allege, use as a pretext

prêtre *m.* priest

preuve *f.* proof

prévenir to let (someone) know

prier to pray, to beg, to ask

prière *f.* entreaty, plea

principe *m.* principle; **en** —— in principle

prise *f.* capture, taking

prisonnier *m.* prisoner

privilégié(e) privileged; *m. and f.* privileged person

prochain(e) next

proche near

prodigue prodigal

(se) prodiguer to give oneself unsparingly

produire to produce

profiter to profit; —— **de** to take advantage of

profond(e) deep, profound

profondeur *f.* depth

prolonger to prolong

promenade *f.* walk, stroll

promener to take (someone) around; **se** —— to go for a walk; to walk around

promeneur *m.* one who goes for a stroll

propre own; neat, clean; **C'est du propre!** It's a fine mess!

propriété *f.* property

protectrice *f.* patroness

protéger to protect

provenir (de) to come (from)

provoquer to induce

prudemment discreetly

prussien Prussian

puanteur *f.* stench

puisque since

puissance *f.* strength, power

punir to punish

Q

quand when

quarantaine *f.* around forty; **dépasser la —** to be over forty

quarantaine, mettre en — to ostracize

quarante-huit forty-eight

quart *m.* quarter

quatre four; **— à —** four (steps) at a time; **à — pattes** on all fours; **tomber les — fers en l'air** to fall over backwards

quatrième fourth

quel, quelle which; **— que** whatever

quelconque any, whatever; **un homme —** common, ordinary man

quelquefois sometimes

quelques some, any, a few

question *f.* question; **poser une —** to ask a question

queue *f.* tail, line; **en —** bringing up the rear; **à la — leu leu** single file

qui who which; **Qui vive?** Who goes there?

quinze fifteen; **— jours** two weeks

quitter to leave; **se —** to part

quoi which, what

quoique although

quotidien(ne) daily

R

rabrouer to scold

raccrocher to hang up (telephone)

racine *f.* root

raconter to retell, recount

radeau *m.* raft

radiographe *m.* X-ray photographer

raffoler de to be mad about, to be extremely fond of

raide stiff, tight; **corde —** tightrope; **tomber — mort** to fall dead

raison *f.* reason; **donner — à** declare (someone) to be in the right

rajeunir to rejuvenate

rajuster to readjust

rallonge *f.* extension; long way

ramasser to pick up

ramener to bring back

ramification *f.* branch

ramper to crawl

rance rancid

randonnée *f.* excursion

rang *m.* row; level

(se) ranger to line up; to pull up (to curb)

ranimer to revive

rapace rapacious

(se) rappeler to recall, remember

rapport *m.* relation; report

(se) rapprocher to draw near, to approach

ras(e)   close-cropped (hair); en rase campagne   in the open country

rassembler   to gather together, assemble

ravi(e)   delighted

ravigoter   to revive, to perk up

ravitailler   to supply new provisions

rayonnement *m.*   radiance

rayonner   to beam

réaliser   to realize, to carry out

rebrousser chemin   to turn back

récepteur *m.*   receiver (telephone)

recevoir   to receive

recharger   to reload

recherche *f.*   search

rechercher   to look for, seek out

réciproque   reciprocal

récit *m.*   tale, story

recommencer   to begin again

reconnaître   to recognize

recouper   to cut again

recouvrir (de)   to cover up (with)

(se) récrier   to exclaim, to cry out

recruter   to recruit

rectifier   to correct

reculer   to back up

(se) récuser   to declare oneself incompetent

redoutable   dangerous

redouter   to fear

réduire   to reduce

réel(le)   real

reflux *m.*   ebb

réformer   to discharge (*mil.*)

refroidir   to chill

refuge *m.*   shelter; prendre le —— to take cover

regard *m.*   look, glance; jeter un —— to cast a glance

regarder   to look at, to watch; to concern

règle *f.*   rule; en —— in order, correct

réglementaire   regular, prescribed

régner   to reign, prevail

rehausser   to touch up

reine *f.*   queen

réintégrer   to return to

rejeter   to throw over; to fling back

rejoindre   to rejoin; se —— to meet

(se) relayer   to take turns

relève *f.*   relief (of troops) (*mil.*)

relever   to raise; se —— to rise

relier   to connect

remarquer   to notice

remblai *m.*   embankment

remercier   to thank

remettre   to postpone, to put back; to hand to; c'est partie remise   we'll have to wait till next time; se —— to recover, to pull oneself together

Rémois(e)   citizen of Reims

remonter   to climb back up

remontrance *f.*   remonstrance

remords *m.*   remorse

remplir   to fill, to fulfill

remporter   to win

remuer   to move, stir; to upset

rencontre *f.*   meeting; venir à la —— to come to meet; faire une —— to meet

(se) recontrer   to meet, to agree (to have the same idea)

rendre   to give back, to return; to render; rendre (quelqu'un) aux cadres   to return (someone) to the ranks (*mil.*); **rendre compte de** to give an account of; —— **fou** to drive crazy; —— **visite à** to visit; **se** —— to give up, surrender; **se** —— **à** to proceed to; **se** —— **chez** to go to (the house of); **se** —— **compte (de, que)** to be aware (of, that)

(**se) renforcer** to be strengthened

renfort *m.* reinforcement

renifler to sniff

renoncer (à) to renounce

renouveler to renew

renseignement *m.* piece of information; **aller aux** ——**s, prendre des** ——**s** to make inquiries

(**se) renseigner** to make inquiries

rentrer to return; to tuck in

renversant(e) staggering

renverser to reverse

reparaître to reappear

repartir to start out again

repas *m.* meal

répéter to repeat; **se** —— to repeat oneself

(**se) repeupler** to increase in numbers again

répondre (à) to answer

réponse *f.* answer, reply

reporter to carry back; to transfer

repos *m.* rest; **au repos** at ease, in peace; **poste de tout** —— station of absolute safety

reposer to rest, to lie

reprendre to take up again, to resume; to regain; **se** —— to recover, to collect oneself

représailles *f. pl.* reprisals

représentation *f.* performance (*theater*)

(**se) représenter** to picture to oneself

reprocher to reproach

(**se) reproduire** to recur

répugner à to be reluctant to, to revolt at

requin *m.* shark, swindler

réserver to reserve, to keep in store

réservoir *m.* tank, gas tank

(**se) résoudre (à)** to resign oneself (to), to bring oneself (to)

ressemblance *f.* resemblance, likeness

ressembler (à) to look like, resemble

ressort *m.* province, scope (*legal*); **en dernier** —— in the last resort

ressource *f.* resource

reste *m.* remainder, rest; **du** —— besides, in addition

rester to stay, to remain

retarder to delay, put off

retenir to keep; to reserve

retentir to ring out, reverberate

réticule *m.* handbag

retomber to fall back

retour *m.* return; **le chemin du** —— the return trip; **être de** —— to be back

(**se) retourner (sur)** to turn around (upon)

(**se) retrousser** to pull up one's (skirts)

retrouver to join; to see again; to rediscover; **se** —— to find oneself again

réunir to collect, to unite; **se** —— to meet, to gather

réussir to succeed

réussite *f.* success

revanche *f.* revenge; **en** —— on the other hand

rêvasserie *f.* day dream

rêve *m.* dream

réveiller to awaken; **se ——** to wake up

revenir to come back, return; **ne pas en ——** to be unable to get over something

rêver to dream

révérence *f.* reverence, bow, curtsey

revoir to see again

rez-de-chaussée *m.* ground floor

richesse *f.* wealth, richness

rictus *m.* smile, grin

ride *f.* wrinkle

rideau *m.* curtain

ridicule ridiculous

rien nothing, not . . . anything; **ne connaître —— à ——** to know nothing about anything; **—— d'autre** nothing else

ripoliné(e) enameled

rire *m.* laugh, laughter

rire to laugh; **éclater de ——** to burst out laughing; **—— au nez (de quelqu'un)** to laugh in (someone's) face; **—— aux larmes** to laugh until the tears come

risque *f.* risk

risquer to risk, to run the risk

rive *f.* bank (of river)

robe *f.* dress, gown

rôder to hang around, to loiter

roi *m.* king

roide = raide tight

rompre to break, break off

ronce *f.* bramble, thorn

rond(e) round; **en ——** in circles; *f.* **ronde** round dance

rondin *m.* log

ronfler to whirr, hum; to snore

ronronner to purr, to hum (of motor)

rose pink, rose; **voir en ——** to see the world through rose-colored glasses

rosier *m.* rosebush

roue *f.* wheel; **mettre des bâtons dans les ——s** to meddle

rouge red; **voir ——** to see red, to be angry

rouler to roll about; **—— quelqu'un** to take someone in, fool someone

roulotte *f.* trailer

route *f.* road, way; **chanson de ——** marching song; **compagnons de ——** fellow travelers; **faire la —— à pied** to walk all the way

rouvrir to reopen

ruban *m.* ribbon

ruche *f.* hive

rude stiff, hard, coarse

rue *f.* street

ruisseler to stream (as with sweat)

rumeur *f.* noise, confused murmur

ruse *f.* ruse, trick

russe Russian

S

sable *m.* sand

sac *m.* sack, bag; **mettre à ——** to pillage

sacoche *f.* leather sack

sage wise

saisir to grasp, seize; to startle

saleté *f.* filthiness

salle *f.* room; **—— à manger** dining room

saluer to salute, to greet

salut *m.* salvation
samedi *m.* Saturday
sanglot *m.* sob
sangloter to sob
sans without
sans-gêne *m.* off-handedness; over-familiarity
santé *f.* health
sape *f.* foundation, underpinning
sapin *m.* fir tree
satisfaire to satisfy
saucisson *m.* sausage
sauf except
sauter to jump
sauvage wild, savage
sauver to save; **se** —— to escape
savoir to know
scaphandre *m.* diving suit
scène *f.* stage, scene (of action)
scintiller to sparkle, glitter
scrupule *m.* scruple, doubt
séance *f.* performance (theater); —— **tenante** without delay
sec, sèche dry; **sèchement** dryly
seconder to support
secouer to shake, to rattle
secours *m.* help; **appeler au** —— to call for help; **un poste de** —— first-aid station
secousse *f.* jolt
séduction *f.* attraction
séduire to attract, to seduce
seize sixteen
séjour *m.* stay
selon according to
semaine *f.* week
semblable à like, similar to
semblant *m.* appearance; **faire** —— **de** to pretend
sembler to seem

semonce *f.* reproof
sens *m.* sense, feeling; direction; **le bon** —— common sense
sensible sensitive
sentiment *m.* feeling
sentir to feel, to sense; to smell; **se** —— to feel
sept seven
septième seventh
seringue *f.* syringe
sermonner to sermonize
serpenter to wind, twist
serrer to squeeze, together
servir to serve
servir (à) to be useful (for); **se** —— **de** to make use of
seuil *m.* threshhold, doorsill
seul(e) only, alone, sole, by oneself; **seulement** only
siamois(e) Siamese; **des frères** —— Siamese twins
siège *m.* seat
siffler to whistle
silencieux(-euse) silent
singe *m.* monkey
sitôt = aussitôt as soon as
smoking *m.* dinner jacket
sœur *f.* sister; **Sœur** nun
soi oneself; **à part** —— to oneself
soif *f.* thirst
soigner to take care of
soin *m.* care
soir *m.* evening
soit so be it; **soit ... soit ... soit** either ... or ... or
soixante-quinze seventy-five; *m.* 75 mm gun
soldat *m.* soldier
solive *f.* wooden beam, rafter
sombre dark, somber
sombrer to sink, to make deeper
somme *f.* sum; *en* —— in short

sommeil *m.* sleep; **avoir ——** to be sleepy

somnoler to doze

songe *m.* dream

sonner to ring

sort *m.* destiny, fate; **jeter un —— ** to cast a spell

sorte *f.* sort, kind; **de la ——** in this way

sortir to take, bring out; to leave, go out of; to come out of

sotte *f.* fool

(se) soucier (de) to care about, to trouble oneself with

soucieux(-euse) concerned

soudain(e) sudden; *adv.* suddenly

souffler to blow, to blow down; **sans —— mot** without breathing a word

souffrance *f.* suffering

souffrir (de) to be pained (by); to suffer

souhaiter to wish (for), to want

soulever to raise, to lift; to stir up; **se ——** to raise oneself, to rise

soulier *m.* shoe; **être dans ses petits ——s** to be in an awkward position, to squirm

soupçonner to suspect

soupirer to sigh

sourcil *m.* brow; **froncer le ——** to wrinkle one's brow

sourd(e) muted, veiled; deaf

souriant(e) smiling

sourire to smile

sous under

sous-entendu *m.* hint, implication

sous-lieutenant *m.* second lieutenant

sous-officier *m.* noncommissioned officer

(se) soustraire (à) to avoid

soutane *f.* cassock

soutenir to support, to hold up

souterrain(e) subterranean

souvenir *m.* memory

souvent often

souverain *m.* sovereign, ruler

soyeux(-euse) silky

spectacle *m.* spectacle, show

spectateur, spectatrice *m. and f.* spectator

spirite *m. and f.* spiritualist (person who believes he can communicate with the spirit of the dead)

stationner to stand, to be parked; to park (car)

stupéfait(e) stupefied

subit(e) sudden

sud *m.* south

suffire to be sufficient

suisse Swiss

suite *f.* following, consequence; **à la —— de** after, in the wake of; **tout de ——** immediately

suivre to follow; **suivant** according to

sujet *m.* subject; **mauvais ——s** rascals

supplice *m.* torture

supplier to beg

supporter to bear, to put up (with); to support

supprimer to suppress

sur on, upon; **neuf fois —— dix** nine times out of ten; **—— ces entrefaits** meanwhile; **—— son compte** about him; **tomber —— quelqu'un** to happen on someone

surclasser to outclass

surhumain(e) superhuman

surlendemain *m.* the day after tomorrow

surnaturel(le) supernatural

surnom *m.* nickname

surnommer to nickname

surprendre to surprise

surseoir to abstain

surtout especially

surveiller to watch over, to supervise

survenir to happen, occur, to befall

susciter to arouse, to give rise to

suspect(e) suspicious

suspendre to suspend, hang

T

table *f.* table; à —— at the table, at dinner

tâche *f.* task

tacher to stain

taire to conceal, keep quiet; se —— to be quiet

talon *m.* heel

talus *m.* slope

tambour *m.* drum, drummer

tandis que whereas, while

tant so much, so many

tante *f.* aunt

tantôt . . . tantôt sometimes . . . sometimes

taper to slap; se —— sur les cuisses to slap one's thighs

taquiner to tease

tard late

tartine *f.* slice of bread

tasse *f.* cup

tâtonner to grope

tatouer to tattoo

taupe *f.* mole

taureau *m.* bull; course de ——x bullfight

teint *m.* complexion, coloring; *f.* color, hue

tel, telle such; tellement so much

téléphone *m.* telephone, telephone call

tempête *f.* storm, squall

temps *m.* time

tendresse *f.* tenderness

ténèbres *f. pl.* darkness

tenir to take, to hold, to have, to get; —— à to insist, to be anxious (to); —— bon to hold fast; —— les fils to pull the strings; —— lieu de to take the place of; ne pas —— en place to be restless; séance tenante without delay; tiens! tenez! well! look!; se —— to be, to remain; se —— debout to stand up; se —— tranquille to keep quiet

tenue *f.* outfit, getup

terminer to finish

terrain *m.* ground

terre *f.* land; earth; ground; par —— on the ground; —— ferme solid ground

tétanos *m.* tetanus

tête *f.* head; casser la —— à quelqu'un to drive someone crazy; —— de mort death's head; voix de —— head tone; de —— leading, first

thé *m.* tea; prendre le thé to have tea

théâtral(e) theatrical

théâtre *m.* theater; coup de —— startling turn of events

théière *f.* teapot

thème *m.* theme, composition; fort en —— bookworm

timbalier *m.* drummer

tir *m.* firing, shooting; **école de** —— rifle school

tirailleur *m.* rifleman

tirer to draw, to pull out; to fire (gun); **se** —— (**de**) to get out, escape

titre *m.* title; **à juste** —— rightly

tohu-bohu *m.* hubbub

toilette *f.*, **faire sa** —— to wash and dress

tombe *f.* grave, tomb

tombeau *m.* tomb

tomber to fall; —— **juste** to guess rightly; —— **des nues** to be thunderstruck; —— **les quatre fers en l'air** to fall over backwards; —— **raide mort** to fall dead; —— **sur quelqu'un** to happen on someone

tonnelle *f.* vault

tonner to thunder

tonnerre *f.* thunder

toque *f.* cap

(se) tordre to twist, wring

torpeur *f.* torpor

torpille *f.* torpedo

tort *m.* error; **avoir** —— to be wrong; **donner** —— **à quelqu'un** to say someone is in the wrong

toucher to touch

toujours always, still

tour *m.* turn, trick; **à son** —— in turn; **faire le grand** —— to take the long way around; **jouer un bon** —— to play a good trick; **jouer le** —— to do the trick; —— **de cartes** card trick

tourment *m.* torment

tourmenter to torment

tournée *f.* company (*theater*)

tourner to turn, to turn back;

—— **le cœur** to turn one's stomach

tousser to cough

tout, toute, tous, toutes all, every, the whole, completely; **tout à coup** suddenly; **tout droit** upright; **de toute façon** in any case; **à toutes jambes** as fast as possible; **tout de même** all the same; **tout le monde** everyone; **tout de suite** immediately; **voilà tout** that's all

train *m.* train; process; **en** —— **de** in the process of

traîner to flag; to drag; —— **quelqu'un à ses trousses** to drag someone at one's heels

trait *m.* act, deed; character trait

traiter to treat

trajet *m.* distance covered; journey

tranchée *f.* trench

tranquille tranquil, peaceful; **laisser** —— to leave alone; **sois** —— don't worry

transporter to move, to carry

trappe *f.* trapdoor

traqué(e) tracked, followed

travail *m.* work

(à) travers across, through

traverse *f.* side road

traverser to cross

travestir to parody; to be decked out (as)

trébucher to stagger

trembler to tremble

trentaine *f.* about thirty

trente thirty

trépigner to jump (for joy, anger, impatience)

trésor *m.* treasure

triage *m.* sorting

tricher to cheat

tricheur *m.* cheat

tricoter to knit
tringle *f.* bar, rod
tripes *f. pl.* guts, entrails
triste sad
tristesse *f.* sadness
trompe *f.* horn, feeler (insect)
trompe-l'œil *m.* camouflage
tromper to deceive; **se ——** to be mistaken
trou *m.* hole
trouble murky; **eau ——** troubled waters; *m.* confusion, agitation
troubler to disturb
trouer to make a hole in
troupeau *m.* flock
trouver to find; **se ——** to find oneself, to be; **se —— mal** to feel faint
truc *m.* gadget
(à) tue-tête at the top of one's voice
tuer to kill
tuyau *m.* pipe; **—— acoustique** speaking tube
type typical, model

U

usage *m.* use; **d'——** usual, customary
usine *f.* factory
utiliser to use, to make use of

V

vache *f.* cow
vague *f.* wave
vaincre to conquer, to overcome
vainqueur *m.* victor, conqueror
valable good, valid
valeur *f.* value, worth; **mettre en ——** to enhance, emphasize

valoir to be worth, to fetch (price); **il vaut mieux** it is better
vareuse *f.* fatigue jacket, blouse (*mil.*)
vautré(e) sprawled
vedette *f.* star (theater); **en ——** in the limelight
véhiculer to drive
veille *f.* eve, preceding day
veiller to keep watch
veilleuse *f.* night light
veine *f.* luck (*fam.*)
velours *m.* velvet
velouter to soften, to make velvety
(se) venger to avenge oneself
venir to come; **—— à la rencontre** to come to meet; **—— de faire quelque chose** to have just done something
vent *m.* wind
ventre *m.* stomach; **à plat-——** on one's belly; **vous me passez sur le ——** you're acting over my head
véritable real
vérité *f.* truth
vernir to varnish
verre *m.* glass; **boule de ——** glass paperweight
verroterie *f.* glass beads
vers toward
verser to pour out
vert(e) green
vertige *m.* dizziness
vertu *f.* virtue
veuf, veuve widowed; *f.* widow
vide empty; *m.* emptiness; the empty air
vider to empty
vie *f.* life
vieillard *m.* old man
(se) vieillir to grow older
vierge *f.* virgin

vieux, vieil, vieille old; **vieille fille** old maid
vif, vive fresh, alive; **à ——** alive; **mettre à ——** to expose
vif-argent *m.* quicksilver
ville *f.* city, town
villégiature *f.* vacation spot
vingt twenty
visage *m.* face
viser to aim at
visite *f.* visit; **rendre —— à** to visit
vite quickly, fast
vitre *m.* window
vitré(e) windowed; **une porte vitrée** French door
vitrine *f.* display window
vivace long-lived
vivifier to invigorate
vivre to live
voici here is
voilà there is; **—— tout** that's all
voir to see; **—— en rose** to see the world through rose-colored glasses; **—— rouge** to see red, to be angry
voire indeed, even
voisin(e) neighboring; *m. and f.* neighbor
voisinage *m.* nearness, neighborhood
voiture *f.* car
voix *f.* voice; **—— de tête** head voice

vol *m.* flight; **à —— d'oiseau** from a bird's eye view
voler to fly; **—— en éclats** to be shattered; to cheat, to steal
volontaire *m.* volunteer
votre your
vouloir to want, to will; **—— bien** to be willing; **en —— à quelqu'un** to have a grudge against someone, to be angry at someone
voûte *f.* arch
voyageur *m.* traveler
voyager to travel
voyant(e) conspicuous
vrai(e) true
vraisemblable likely; **peu ——** unlikely, unconvincing
vue *f.* view, sight

W

wagon *m.* car (of train); **——-restaurant** dining car

Y

y there; **il —— a** there is, there are; ago
yeux *m. pl.* (*sing.* **œil**) eyes

Z

zèle *m.* zeal